DEL REY ABAJO, NINGUNO

O

EL LABRADOR MÁS HONRADO,
GARCÍA DEL CASTAÑAR

clásicos castalia

COLECCIÓN FUNDADA POR
DON ANTONIO RODRÍGUEZ-MOÑINO

DIRECTOR
DON JOSÉ F. MONTESINOS

Colaboradores de los primeros volúmenes

Andrés Amorós. René Andioc. Joaquín Arce. Eugenio Asensio. Juan B. Avalle-Arce. Francisco Ayala. M.ª Lourdes Belchior Pontes. Hannah E. Bergman. Bernardo Blanco González. José Manuel Blecua. Pablo Cabañas. José Luis Cano. Soledad Carrasco. José Caso González. Diego Catalán. Biruté Ciplijauskaité. Evaristo Correa Calderón. Maxime Chevalier. Bruno Damiani. Cyrus C. DeCoster. Albert Dérozier. John C. Dowling. Manuel Durán. José Durand. Rafael Ferreres. E. Inman Fox. José Fradejas Lebrero. Yves-René Fonquerne. Nigel Glendinning. Joaquín González-Muela. Robert Jammes. Ernesto Jareño. R. O. Jones. David Kossoff. Fernando Lázaro Carreter. Juan M. Lope Blanch. Francisco López Estrada. Joaquín Marco. Robert Marrast. D. W. McPheeters. Guy Mercadier. José F. Montesinos. Edwin S. Morby. Marcos A. Morínigo. Luis Murillo. Robert E. Osborne. Joseph Pérez. Rafael Pérez de la Dehesa. J. H. R. Polt. Pierre Ressot. Francisco Rico. Elias L. Rivers. Juan Manuel Rozas. Alberto Sánchez. Russell P. Sebold. Jean Testas. Alan S. Trueblood. José María Valverde. Francisco Ynduráin. Alonso Zamora Vicente.

FRANCISCO DE ROJAS ZORRILLA

DEL REY ABAJO, NINGUNO
o
EL LABRADOR MÁS HONRADO,
GARCÍA DEL CASTAÑAR

Edición,
introducción y notas
de
JEAN TESTAS

clásicos castalia

Madrid

Copyright © Editorial Castalia, 1971
Zurbano, 39 - Tel. 419 89 40 - Madrid (10)

Impreso en España. Printed in Spain
por UNIGRAF, S. A. - Fuenlabrada (Madrid)

Cubierta de Víctor Sanz

I.S.B.N.: 84-7039-109-7
Depósito legal: M. 27.585-1978

SUMARIO

INTRODUCCIÓN
BIOGRÁFICA Y CRÍTICA

NACIMIENTO, INFANCIA Y NIÑEZ

CUANDO Francisco de Rojas Zorrilla nació el día 4 de octubre de 1607 en Toledo, Felipe III era rey desde 1598. Cervantes había cumplido los sesenta; Lope de Vega tenía 45; Guillén de Castro 38; Tirso de Molina 36; Ruiz de Alarcón 28; Quevedo 27; Calderón 7 y Gracián 6. En Francia reinaba Enrique IV desde 1589. Malherbe era cincuentón; el futuro gran Corneille, muy lejos de pensar en el Cid, debía de lloriquear mamándose el dedo ya que apenas llegaba al primer año de su vida. En Inglaterra, había desaparecido en 1603 la enérgica Isabel I dejando el trono a Jacobo VI de Escocia y I de Inglaterra, hijo de María Estuardo. En cuanto al genial Shakespeare que iba a coincidir con Cervantes en la muerte (1616) y la fama, tenía ya 43 años.

No se quedó mucho tiempo en la imperial ciudad del Tajo el niño Francisco. En efecto, en 1610 sus padres se trasladaron a Madrid, viviendo en una casa de la plazuela del Ángel, que pertenecía a un tío materno de nuestro futuro autor. Como llegara en tan tierna edad a la Villa y Corte, a veces se consideró erróneamente al poeta madrileño de nacimiento. [1] Así lo creyó

---

[1] Confusión con don Francisco de Rojas y los Ríos. Ver en *B.A.E.* Tomo LIV, p. VIII del prólogo de Mesonero Romanos.

Montalbán según don José Álvarez de Baena citado por F. Ruiz Morcuende en el volumen 35 de "Clásicos Castellanos" p. IX, nota 1:

Montalbán le pone por hijo de Madrid; don Vicente de la Huerta, en su *Theatro español,* dice que fue natural de la villa de San Esteban de Gormaz, cerca de Aranda de Duero. Mas ni uno ni otro tienen razón, pues consta de sus pruebas de hábito, año 1641,[2] que era natural de Toledo, e hijo del alférez Francisco Pérez de Rojas y de doña Mariana de Vesga Zevallos, naturales de la misma ciudad.

En efecto, la partida de bautismo del comediógrafo toledano, encontrada por Hartzenbusch que la publicó primero y que saco ahora de Bravo Carbonell J.,[3] dice lo que sigue:

En cuatro días del mes de Octubre de mil y seiscientos y siete años nació un hijo de Franº Pérez de Rojas y de doña Mariana de Besga su mujer, al cual por el peligro de muerte bautizó doña Juana de Besga, parroquiana de esta parroquia, y después en veinte y siete días del mes de octubre del dicho año fue traído el dicho niño a esta iglesia parroquial de San Salvador, y yo el doctor Eugenio de Andrada, cura propio de dicha iglesia le administré las sacras ceremonias del Santo Bautismo y le puse por nombre Franº: fueron los compadres Diego Lucio y la dicha doña Juana. Testigos: Juan Martínez y Juan Rodríguez. El doctor Andrada.

Tal documento sirvió para las pruebas de Caballero del hábito de Santiago del poeta en "15 de octubre de 1644 y fue sacado (con la partida de nacimiento de su padre) de un libro que comienza a 1.º de enero de 1566 y a fojas ochenta y cinco".[4]

Los padres del autor se llamaban pues Francisco Pérez de Rojas y Mariana de Besga (o Vesga) y Zevallos (o Ceballos). Así lo creyó Mesonero Romanos en su

---

2 Error de fecha. Cf. p. 27.
3 Bravo Carbonell, J.: *El Toledano Rojas,* Toledo 1908, Casa R. Gómez Menor.
4 Bravo Carbonell, *op. cit.*

Colección de comedias escogidas de don Francisco de Rojas Zorrilla, Biblioteca de Autores Españoles - *B.A.E.,* Madrid, Rivadeneyra, 1861, expresando sin embargo su sorpresa: "siempre o casi siempre, se designa él propio, como tal autor, con los dos apellidos de Rojas y Zorrilla, aunque este último no sabemos por qué razón; pues, como se ve en la fe de bautismo, no era el de su madre doña Inés de Besga y Ceballos, ni tampoco el segundo de su padre don Francisco Pérez de Rojas". [5] Durante mucho tiempo el problema pareció tan sorprendente y oscuro que dio lugar en el certamen literario que se celebró en Toledo con motivo del tercer centenario del natalicio de Rojas a un tema de oposición: "¿Existe algún dato biográfico que explique satisfactoriamente el cambio de apellidos de Rojas?" Varios eruditos debieron de devanarse los sesos para aclarar un misterio... que no existía como lo demostró don Emilio Cotarelo y Mori: "Ésta (la madre) fue la que, siguiendo la costumbre de su tiempo, que autorizaba que las hijas tomasen el apellido de la madre, cambió el orden de los suyos, debiéndose firmar, al uso moderno, Zorrilla y Vesga, como hija de Alonzo Zorrilla y de doña María de Vesga". [6] Como el mismo padre del poeta había suprimido ya el Pérez de su apellido la firma Francisco de Rojas y Zorrilla resulta perfectamente lógica.

Queda demostrado, pues, que el poeta nació en Toledo el 4 de octubre de 1607 de don Francisco Pérez de Rojas y de doña Mariana de Zorrilla y Vesga naturales ambos de Toledo. El padre había nacido en 1570, siendo hijo del tejedor Juan Pérez de Rojas y de Leonor Ortiz. Se casó en 1606 —siempre en Toledo— con doña Mariana, hija de Alonso de Villarreal Zorrilla y de doña

---

[5] Pág. VIII. De la misma manera Bravo Carbonell habla de la "magna obra del insigne toledano Rojas y Zorrilla que ni fue Rojas ni Zorrilla...", *op. cit.* Prólogo.

[6] La obra de don Emilio Cotarelo y Mori: *Don Francisco de Rojas Zorrilla, noticias biográficas y bibliográficas,* Madrid 1911, es un estudio fundamental e imprescindible, tanto como los trabajos más modernos de Raymond R. MacCurdy.

María Mosquera. El matrimonio tuvo numerosa prole: nuestro Francisco, el primogénito y después Diego, Bernarda, Luisa Ana, Jusepe y Manuela María. [7] Si los problemas del lugar de nacimiento y de los apellidos encontraron la debida solución gracias a los trabajos de insignes eruditos, en cambio los años de niñez quedan hasta ahora en la oscuridad casi total. Sabemos que la familia vivía en la Plazuela del Ángel, en un barrio muy concurrido del Madrid de los Felipes. En el célebre plano de Texeira (1656 - Parcela número 10) aparece la plazuela, bajando la calle de Carretas a partir de la Puerta del Sol a mano izquierda, casi en el sitio donde se encuentra hoy día. Para imaginar mejor el ambiente del barrio, acudiremos a Juan de Zabaleta en *El día de fiesta por la Tarde* (cap. VII). Nos presenta el celebérrimo costumbrista a un caballero de Burgos que "En la calle del Príncipe posaba". El tal jovenzuelo había ofrecido su coche para el Sotillo a una dama a quien servía. Pero ¡oh desdicha! su tío, el corregidor de Madrid, le obliga a entregarle el galante carruaje. El desesperado y enloquecido mozo

...entróse en su cuarto. En él tomó la espada y la capa, y sin acordarse de que había de comer aquel día, se salió de la posada como fuera de sí. Cogió la calleja de la Lechuga [8] que estaba enfrente, pareciéndole que hombre a quien sucedía aquel desaire, no podía andar por calles en que hubiese luz. Entróse luego por la del Gato, [9] también por calleja, y salió sin saber donde iba, a la plazuela del Ángel. Como era mediodía, estaban a las puertas princi-

[7] *Clásicos Castellanos*, Vol. 35. Edición de F. Ruiz Morcuende, Madrid 1952. Prólogo, p. XXIV y XII.

[8] La calle de la Lechuga se encuentra hoy en las proximidades de la calle de Toledo; desemboca en la Imperial la cual a su vez va a parar a la de Toledo antes citada. En tiempos de Zabaleta se encontraba, como atestigua Mesonero Romanos, cerca de la plaza de Santa Ana (y de la del Ángel). Probablemente, la calle de la Lechuga actual es parte de la desaparecida, bien como prolongación, bien como resto de aquélla. *El día de fiesta por la tarde*, Ediciones Castilla, Madrid 1948. Notas de María Antonia Sanz Cuadrado, p. 325.

[9] Parece corresponder poco más o menos, y sería rasgo de humorismo, a la actual calle de Álvarez Gato.

pales algunos coches sin mulas, y entre ellos uno con una cédula, señal que se vendía...

La casa de Rojas, pues, no se encontraba muy lejos de la Puerta del Sol (con el célebre "mentidero" de las Gradas de San Felipe el Real) y vivía cerca gente bastante poderosa ya que el coche era en la época una señal evidente de cierto nivel social. Pero, sobre todo, estaba próxima a la calle del Príncipe (que desemboca hoy en la plaza de Canalejas) y a la de la Cruz (que hace esquina con la del Príncipe en dicha plaza). En estas dos calles estaban los "corrales" del Príncipe (antes de la Pacheca) y el de la Cruz [10] que gozaron en la época de una fama extraordinaria. El niño Rojas debió de empaparse en la locura teatral del barrio y, de seguro, debió de presenciar las disputas literarias (a veces sangrientas) [11] que se verificaban en el cercano "Mentidero de representantes". Dejemos la palabra a José Deleito y Piñuela: [12]

Centro muy característico de charla y murmuración, ocupado por la gente de teatro, era el llamado mentidero de representantes, situado en la calle del León, junto a su confluencia con la del Prado. Formaba entonces aquella calle, hasta la de Francos y Cantarranas (hoy de Cervantes y Lope de Vega, respectivamente), un ensanchamiento o plazoleta alargada con aceras o losas... Aquel era el punto de reunión para actores, dramaturgos, poetas, arrendatarios de corrales y demás personas que vivían de la farándula o sentían afición preferente por ella... Todos los actores y actrices del siglo XVII habitaban aquella zona, en las calles de las Huertas, Amor de Dios, San Juan,

[10] José Deleito y Piñuela, *También se divierte el Pueblo*, p. 174 y 175.
[11] En 1629, un cómico llamado Villegas mató a un hermano de Calderón y se refugió en el vecino convento de Trinitarias. El gran dramaturgo ayudado con amigos asaltó el convento obligando a que las monjas se quitasen los velos para verificar si no se ocultaba el asesino. El escándalo fue mayúsculo.
[12] *Sólo Madrid es corte* —Espasa Calpe, Madrid 1954—, pág. 218 y siguientes.

Santa María, Francos, Cantarranas y León. Lo propio ha
cían los más célebres decoradores de teatro, como Cosme
Lotti, y los más altos poetas. Recuérdese que Cervantes
vivió en las calles de Huertas y León y plaza de Matute,
muriendo en la de León, esquina a la de Francos; que
en esta misma calle vivió y murió Lope de Vega, según
queda indicado, [13] y en la pequeña transversal entre ella y
la de Cantarranas, llamada entonces del Niño, habitó Quevedo, en casa de su propiedad, por lo que hoy lleva su
nombre.

Era imposible encontrar sitio más extraordinario para
el genio poético de un niño con dotes literarias. ¡Cuántas escenas maravillosas pudo observar! ¡Cuántos asal-
tos ingeniosos entre los mejores! ¡Cuántas burlas y
cuántos aciertos para lanzarle envidioso a la carrera
teatral! Pero antes de darse a conocer como comediógrafo fue preciso, de seguro, ir a gastar algunas sotanas
en los bancos de la Universidad. Es otro asunto bastante oculto de la vida de Rojas Zorrilla.

LA VIDA ESTUDIANTIL:
EL ASPECTO FÍSICO DEL HOMBRE HECHO

No se puede encontrar el apellido del autor de *Entre
bobos anda el juego* en los libros de matrícula de las
universidades de Toledo (que existía en aquel entonces)
de Alcalá de Henares y de Salamanca. Sin embargo, la
exactitud palpitante y detallada con que describe el ambiente estudiantil salmantino en *Obligados y ofendidos
y gorrón de Salamanca* y *Lo que quería ver el Marqués
de Villena* puede considerarse como una prueba de su
carrera universitaria. Digo "puede considerarse" porque
es privilegio de la imaginación literaria crear con verdad

---

13 Murió el Fénix de los Ingenios el 27 de octubre de 1635. Su
entierro fue verdadera apoteosis fúnebre. Pérez de Montalbán publicó *Fama póstuma*, recolección de apologías en la que figura un
soneto de Rojas. Poco antes (el 28 de junio de 1631) había muerto
en profunda pobreza el dramaturgo valenciano Guillén de Castro
asistido de limosna en el vecino Hospital de Montserrat.

sobrenatural hasta lo que nunca se ha visto. En *Obligados y ofendidos,* por ejemplo, otra escena expresiva, la de la cárcel con asamblea de pícaros, maleantes y mujeres del trato ¿puede probarnos la pertenencia al hampa de Rojas? No lo creo, a pesar de una creación alucinante de verdad. Me acuerdo ahora de una entrevista concedida por la entonces joven (y sigue siéndolo) novelista francesa Françoise Sagan a un periodista malintencionado. Éste, a propósito de la novela *Un certain sourire (Cierta sonrisa)* le preguntaba: "¿Pero cómo puede usted tan joven describir escenas amorosas es-escandalosas? ¿Es que las ha conocido?" Y contestó la novelista: "También describo la muerte, y sin embargo gozo de perfecta salud". Como Morcuende, pues, sería preciso afirmar: "*Se supone* que fue estudiante...", [14] o como Raymond R. MacCurdy: "*nada* se sabe concretamente de sus estudios universitarios..." [15] Se sabe poco, en efecto, pero parece posible afirmar que fue estudiante. En un *Vejamen* pronunciado por Antonio Coello en el Buen Retiro (1638) leemos lo que sigue:

...A los poetas les dieron que se royesen los zancajos unos a otros. Y yo, oyendo esto, dije muy aprisa: —Acoto los de don Francisco de Rojas, que se calza en la horma de don Gaspar Bonifaz, aunque no será comida muy limpia. Ya no es puerco, respondió Espina, después que anda de seglar. Así es verdad, dije yo, que a él y a mí, cuando éramos estudiantes, nos echaban los aposentadores en las faltriqueras dos pescaderas de aposento, y era de manera lo puercos que solíamos ser él y don Antonio de Solís y yo, que en nuestras casas no se atrevían a echarnos por la puerta a medio día, porque no les llevasen la pena, y aguardaban siempre a las once de la noche. Y en casa de don Francisco se asomaba una criada en lo alto y decía: —¡Rojas va!, como, ¡agua va!, y le echaba por el canalón. [16]

14 *Clásicos Castellanos,* Vol. 35, Prólogo, p. XIII.
15 *Clásicos Castellanos,* Vol. 153, Prólogo, p. XI.
16 A. Paz y Meliá: *Sales Españolas o Agudezas del Ingenio nacional* (segunda serie), Madrid 1902, p. 337.

Tal texto nos ofrece algunos datos interesantes a propósito de nuestro dramaturgo: estudió con A. Coello y A. de Solís; era sucio sobre manera; en 1638 el período universitario era ya pretérito. Es evidente que debemos tener en cuenta la exageración de los vejámenes, pero en ellos casi siempre se expresaban en alta voz las verdades que todos pensaban en silencio. Así es que los pies de Rojas debían de tener respetable tamaño. El hambriento Coello tendría pues buen "zancajo que roer" con el hueso marcado por suyo. ¿Quiere el lector una descripción detallada de las extremidades del autor de *Del Rey abajo, ninguno*? Admire "los pinreles" del caballerizo mayor del rey, don Gaspar Bonifaz, prototipo pedestre, igual a Rojas en magnitud (y blanco frecuente de las burlas literarias):

> Mi pie es bien hecho, salvo que
> es bajo de empeine, y salvo
> que es largo, y salvo que tiene
> unos bultos a los lados.
> Unos que llaman pericos
> yo pericones los llamo,
> y pendangas, pues me sirven
> de juanetes y callos.
> Siempre me calzo muy justo,
> que aunque le compro muy ancho,
> siempre se halla mi pie
> como tres en un zapato. [17]

Ya que estamos con el retrato físico de Rojas, podemos seguir mentando su calvicie, defecto del que el mismo se burlaba con gracia:

Venía D. Pedro Calderón en medio de él (el carro de mojiganga) probándose la cabellera de don Francisco de Rojas; pero viendo que no le asentaba, dijo apodándola de esta suerte:

---

[17] Antonio Coello, Vejamen 1638. Paz y Meliá, *op. cit.*

No me la quiero poner,
que a mi desgracia recelo
que no la ha de cubrir pelo. [18]

o, en otro vejamen, con fecha del 21 de febrero de 1637:
"Y como para ser San Pedro no me faltaba más que
ser calvo, me quité la cabellera". [19] Verdad es que la
costumbre de las pullas públicas obligaba a los mo-
tejados a que tomaran sus desdichas con sonrisas aunque fuera de conejo. ¿Cómo hubiera podido ocultar sus
corcovas el pobre Alarcón, y cómo podía disimular su
alopecia Rojas cuando G. de Cáncer y Velasco pro-
clamaba:

Volví la cara y vi venir a un hombre que se las pelaba
por caminar a priesa; traía, a mi parecer, la cabeza col-
gada de la pretina, y sobre los hombros una calabaza.
Parecióme extraño el modo de caminar, y acercándome
más, conocí que era don Francisco de Rojas, que la priesa
no le había dado lugar de ponerse la cabellera; y al pasar junto a mí le dije:

La priesa al revés te pinta,
hombre, para caminar:
Yo siempre he visto llevar
la calabaza en la cinta. [20]

Las tres características que tenemos del autor toledano
no parecen hacer de él un donjuanesco cortesano: pies
enormes, calvicie brillante y suciedad hiperbólica. El
desaliño en el atavío, frecuentísimo entre la gente estudiantil ("Estudiantes y pícaros, que es lo mismo" decía
Quevedo en el *Buscón*) parece haber alcanzado en Solís,
Coello y Rojas límites inolvidables. El último, pareciendo

18 Vejamen de don Francisco de Rojas (Paz y Meliá, *op. cit.*).
Se puede recordar también el papel del gracioso Cabellera en *Entre
bobos anda el juego*.
19 En el apéndice de la edición de *El diablo cojuelo*, por A.
Bonilla y San Martín, Vigo 1902, Librería de E. Krapf, p. 265.
20 *B.A.E.*, *op. cit.*, p. IX.

contestar al segundo, escribió en el vejamen que acabamos de mencionar (celebrado delante de su Majestad la
Reina):

Llegóse en esto a mí Solís y me dijo: "¿No sabes que
me han contado que Coello nos trata de puercos en su
vejamen hasta tente panilla, siendo él el que inventó las
purgas? A mí me lo dirás, dije yo, que he visto la letra
de sus armas en que decía: "Puercos descienden de mí,
que yo no desciendo de puercos...".

Alfonso de Batres por su parte, afirmaba:

"Otros iban encendiendo luminarias que no se daba al aire
soplos a matar; porque no eran lamparillas así como
quiera, que eran las lámparas de los manteos y sotanas
que dejaron don Antonio Coello y don Francisco de Rojas" y: "¿Que tan desaseado es (don Antonio Coello),
dijeron todos. —No, si no que es perdido; que pudiera
muy bien estar de los más sobrados mozos del lugar después que se mudó de seglar, porque se ha ahorrado más
de cien panillas de sarga que le entraban en su manteo y
su loba, pero no ha querido, porque ya lo gasta todo en
ribetillos de alquitira, porque dice que guarnecen y man-
chan de más provecho". [21]

En 1637, pues A. de Coello y Francisco de Rojas iban
vestidos de seglar habiendo dejado los manteos, sotanas
estudiantiles y sus adornos de grasa. ¿En qué universidad pudieron cursar? Apelemos al testimonio de J. de
Goyeneche y de Luis A. Arocena: [22]

Los registros oficiales de la universidad de Salamanca...
atestiguarían la precocidad del joven estudiante (Solís), porque consta que el 24 de abril de 1623, cuando aún no
había cumplido sus trece años, obtenía el bachillerato en
cánones. En los años que siguen, 1624, 1626 y 1627, apa-

[21] Sacado de "Dramáticos del siglo XVII: Don Antonio Coello",
por Emilio Cotarelo, en *Boletín de la Real Academia Española*, Año
V, Tomo V, Febrero de 1918, Cuaderno XXI, p. 560.
[22] *Antonio de Solís, cronista indiano*, por Luis A. Arocena, Editorial Universitaria de Buenos Aires, 1963.

rece el nombre de Solís en las matrículas de primero, segundo y tercer año de cánones. No consta, sin embargo, que haya alcanzado la licenciatura en derecho canónico ni que siguiera ningún curso de derecho civil.

En nota, en el mismo artículo, p. 65 señala además: "Se ha afirmado por algunos autores que Solís siguió cursos en la Universidad de Alcalá. Revisados cuidadosamente los libros de matrícula conservados en el Archivo Histórico Nacional de Madrid, su nombre no aparece, sin embargo, en ellos". A. de Solís estudió, pues, en Salamanca exclusivamente, de 1623 a 1627 y Rojas fue compañero suyo, a pesar de la ligera diferencia de edad (en 1627 A. de Solís tenía 17 años, Fr. de Rojas 20 y A. Coello, nacido en 1611, 16).

LA VIDA LITERARIA

Con motivo del cumpleaños del príncipe Baltasar Carlos, el Conde-Duque de Olivares organizó magníficos festejos en el Buen Retiro. En un circo de unos 50 metros de circunferencia lucharon entre sí el día 13 de octubre de 1631 un león, un tigre, un oso y un toro español, acuciados y aguijoneados por peones ocultados en una tortuga de madera. Es inútil, señalar que la fiera española quedó dueña del campo de batalla. Entonces,

...viendo, pues, nuestro César (Felipe IV) imposible despejar el circo de aquel monstruo español... pidió el arcabuz... y sin perder de la mesura real ni alterar la majestad del semblante con ademanes, le tomó con gala, y componiendo la capa con brío, y requiriendo el sombrero con despejo, hizo la puntería con tanta destreza y el golpe con acierto tanto, que si la atención más viva estuviera acechando sus movimientos no supiera discernir el amago de la ejecución y de la ejecución el efeto... gastando sólo un instante en tan heroico golpe. [23]

---

[23] Según Pellicer de Tovar y sacado de *El rey se divierte*, de José Deleito y Piñuela, Espasa Calpe, Madrid 1955, pp. 271-272.

Para celebrar tal estupenda hazaña Pellicer de Tovar dedicó a doña María de Austria, hermana del monarca español y reina de Hungría un *Anfiteatro de Felipe el Grande* para el que pidió la colaboración de ciento uno ingenios de la Corte. [24] Entre ellos figura Francisco de Rojas Zorrilla con el Epigrama LXI. [25] Esto permite inferir que, a la fecha, vivía en Madrid y que gozaba ya de cierta fama literaria. Al año siguiente, el doctor don Juan Pérez de Montalbán expresó la consabida opinión "Don Francisco de Rojas, poeta florido, acertado y galante, como lo dicen los aplausos de las ingeniosas comedias que tiene escritas". [26] No se conocen las comedias que merecieron tan grata opinión, pero lo cierto es que el 23 de febrero de 1633 fue presentada ante los Reyes y la Corte, en El Pardo; la comedia *Persiles y Sigismunda* según la obra de Cervantes. El joven dramaturgo tenía 26 años y empezaba una carrera palaciega protegida por la reina doña Isabel de Borbón y el mismo rey. [27] En 1635 estrena Rojas siete comedias, siempre en presencia de los Reyes, sea en los salones de Palacio real (tal sesión se llamaba "un particular") sea en el teatro del Buen Retiro: *No hay ser padre*

---

[24] Según F. Ruiz Morcuende "sólo" 89 poetas colaboraron (Prólogo al volumen 35 de *Clásicos Castellanos*, p. XIV).

[25] Buen ejemplar de poesía áulica es el soneto:

> Recele de Filipo el otomano
> menos ya las victorias que su intento,
> que es en Filipo acierto el pensamiento,
> y aun piensa menos que acertó su mano.
>
> Con el venablo, si fatiga el llano,
> ofrece en el amago el escarmiento;
> lo visible es en él poco elemento;
> despojo es suyo lo que aun no es humano.
>
> Diga, pues, si a su brazo prodigioso
> ni el plomo engaña ni el objeto miente,
> el mundo ser efecto milagroso
>
> si errará la diadema de Oriente;
> que acertar en Filipo es lo forzoso
> y ni aun errar en él es contingente.

[26] *Para todos, ejemplos morales y divinos* por el doctor Juan Pérez de Montalbán, natural de Madrid. Madrid, Imprenta del Reino, 1632.

[27] Cf. p. 20, p. 25 y p. 27.

siendo rey — *El catalán Serrallonga* (colaboración con Luis Vélez de Guevara y A. Coello) — *Peligrar en los remedios* — *El desafío de Carlos V* — *El profeta falso Mahoma* — *El villano gran señor* — *Santa Isabel, reina de Portugal.* En 1636 salen a luz *Progne y Filomena* — *El jardín de Falerina* (colaboración con Calderón) — *El mejor amigo, el muerto* (colaboración con Calderón y Luis de Belmonte) — *Obligados y ofendidos, el gorrón de Salamanca* — *No hay amigo para amigo.* En 1637 se representaron en El Pardo: *Donde hay agravios no hay celos* y *El más impropio verdugo.* En 1638 escribió *Entre bobos anda el juego* y en 1639 el primer auto sacramental conocido entre los suyos: *El Hércules.* El año siguiente fue marcado por dos otros autos: *El rico avariento* y *Las ferias de Madrid,* pero sobre todo por la comedia *Los bandos de Verona* compuesta especialmente para inaugurar un nuevo teatro en el Buen Retiro (4 de febrero de 1640). En 1641 se presentaron *El sotillo de Madrid* y *Sansón* (autos).

Desdichadamente el día 6 de octubre de 1644 murió la reina doña Isabel de Borbón y se suprimieron todas las manifestaciones teatrales. El dolor del atribulado monarca se hizo mayor todavía con el fallecimiento (9 de octubre de 1646) del príncipe Baltasar Carlos tan graciosamente representado de cazador por Velázquez y que llegaba casi a los 17 años. Perduró la prohibición teatral hasta 1649, fecha del nuevo casamiento del monarca con doña Mariana de Austria. Pero ya don Francisco de Rojas Zorrilla había pasado a mejor vida...

Además de su obra de dramaturgo, Rojas participó en varias manifestaciones palaciegas y aúlicas, certámenes literarios con los correspondientes vejámenes. El día 16 de noviembre de 1636 llegó a Madrid doña María de Borbón, princesa de Carignan, que fue acogida con grandiosas manifestaciones; a principios de 1637 se supo que el primo hermano de Felipe IV, Fernando III de Hungría y Bohemia acababa de ser elegido rey de

romanos. [28] Para solemnizar ambos acontecimientos se
organizaron festejos que duraron del 15 al 25 de febrero.
Rojas Zorrilla obtuvo un premio por haber contestado
con gracia —en verso de romance— a la pregunta:
"¿Cuál estómago es más para envidiado: el que digiere
grandes pesadumbres o grandes cenas?" [29] Tuvo también
que "dar el vejamen" y lo hizo con punzante ironía
según la costumbre en tales circunstancias. Pero el orgulloso proceder de la princesa de Carignan empezaba
ya a cansar a los madrileños cuando llegó a su vez
la duquesa de Chevreuse, permitiendo así otro certamen
poético:

Estándose celebrando la justa poética en el Real salón del
Retiro, delante de Su Majestad la Reina nuestra señora y
la señora Duquesa de Xebrós, entró un soldado de la guar-
dia con un pliego grande cuyo sobrescrito decía así: "A
Don Francisco de Rojas. Luego, Luego, Luego" Y abierto
el pliego, decía de esta manera: Su Majestad, Dios le
guarde, manda que precisamente dé v. m. el vejamen en
la fiesta que se hace esta noche, por ser gusto de la Reina
nuestra señora y sus damas; aviso de ello a v. m. para
que sin excusa ponga en ejecución lo que su Majestad
ordena. En 11 de febrero de 1638 y habiendo puesto el
pliego sobre su cabeza, sacó del pecho el vejamen que
sigue. [30]

F. Ruiz Morcuende en su prólogo al volumen 35 de
Clásicos Castellanos (*op. cit.*, p. XVIII, XIX nota 8)
conserva la fecha original. En cambio, en Manuel Se-
rrano Sanz, apéndice a Luis Vélez de Guevara *El diablo
cojuelo,* edición de Krapf, Vigo 1902, p. 262-263 se

[28] Cf. José Deleito y Piñuela en *El rey se divierte*, Espasa-Calpe,
Madrid 1955, p. 212.
[29] Afirma Bravo Carbonell en *op. cit.*, p. 45: "Es lástima que
de su romance premiado en la Academia burlesca efectuada en el
Retiro en 1637, que tiene por argumento "¿cuál estómago..." no podamos ofrecer una muestra. No se imprimió y el manuscrito no
se conserva entre nosotros. Adquirido por extranjeros, figura entre
muchos trabajos de españoles en la Biblioteca del Arsenal de París.
En el repertorio de la Biblioteca del Arsenal no consta tal manuscrito, y el texto puede leerse publicado.
[30] Apéndice a la edición de *El diablo Cojuelo*, Vigo 1902, *op. cit.*

modifica así: Errata por 1637. Creo que se debe conservar la primera indicación. En efecto, Rojas alude
a las acusaciones lanzadas por A. Coello (v. *supra*
p. 13 cuyo vejamen es de 1638 según A. Paz y Meliá,
op. cit., p. 337). Por otra parte no creo que exista
entre la nobleza española de la época una duquesa de
Xebrós. El apellido parece ser la transcripción eufónica
del francés duquesa de *Chevreuse,* palabra que contiene
varios sonidos desconocidos de la lengua castellana y
que sólo puede representarse aproximativamente.

Como la estancia en Madrid de la duquesa se verificó
en 1638 poco antes de la salida de la princesa de Carignan, la fecha del certamen literario debe ser idéntica. [31]
Si la lectura hecha por Rojas se hizo verdaderamente
el día 11 de febrero de 1638, precedió muy poco al
sangriento lance que puso a nuestro dramaturgo en un
trance casi mortal:

24 de abril 1638. Viernes. Este día sucedió la desgraciada
muerte del poeta celebrado don Francisco de Rojas, ale-
vosamente, sin que se haya podido penetrar la causa del
homicidio, si bien el sentimiento público ha sido general
por su mocedad —22 de mayo 1638. Ha corrido voz por
la Corte que la muerte sucedida en días pasados del poeta
don Francisco de Rojas, trujo origen del vejamen que se
hizo en el Palacio del Retiro las Carnestolendas pasadas,
de donde quedaron algunos caballeros enfadados con el
dicho. [32]

Vamos a reconfortar al dolorido lector: la noticia
era falsa, y Rojas pudo escribir *Entre bobos anda el
juego* en 1638 y ostentar más tarde el hábito de Santiago como lo veremos (cf. p. 27). Lo que me sorprende
algo es el motivo de la cuchillada. En efecto el Vejamen
de 1638, tanto como el de 1637, aunque doloroso para
los aludidos, no parece exceder la dureza que solían

[31] Cf. *La cour de Philippe IV et la décadence de l'Espagne*
(1621-1665), de Martin Hume, Perrin et Cie, Paris 1912, p. 302,
note 1.
[32] Manuscrito 2.339 de la Biblioteca Nacional de Madrid, folios
22 y 229. Citado por F. Ruiz Morcuende, *op. cit.,* p. XIX, note 9.

ostentar tales ejercicios. La lectura de las burlas de A. Coello [33] o de Alfonso de Batres [34] permite encontrar alusiones tanto o más violentas. De todos modos, tales ejercicios tienen víctimas habituales que, a ser tan quisquillosos, hubieran transformado el Parnaso español en enorme necrópolis: don Francisco Calero, ayuda de S. M., tachado de miserable con quevedesco retruécano de parte de Rojas ("es símbolo de miseria, porque es miserable de cal y canto, y siendo ayuda, no es de cámara, porque no come") y de Coello ("¿cómo con ser ayuda es tan estreñido? o "Aunque las mujeres sepan // trepar hacia mis bolsones, // ¡manos mías, decir nones! // Y otro nudo a la bolsa mientras que trepan."); Juan Mejía, mediocre alanceador y dramaturgo "por contaminatio"; Covarrubias, barrigudo hasta el punto de que "ya los navíos no se miden por toneladas, sino por Covarrubias"; Carbonel tan feo que la única cosa que se le parece en el cuadro de San Antón es el cochino. [35] Salen escarmentados también A. de Solís, L. Vélez de Guevara, el viejo don Francisco Zapata "Zapatilla", el Marqués de Malpica, don Gaspar Bonifaz, etcétera... Pero francamente, y a primera vista, no se nota ninguna razón especial para justificar el atentado dirigido contra el único Rojas. [36] Sin embargo sorprenden las últimas líneas de su vejamen del 19 de octubre de 1637. Escribió en efecto:

Ésta fue la mojiganga que S. Majestad no vio; ésta la que encargamos a la pluma; ésta la que trasladamos a la lengua. Ahora falta que la Católica Majestad de Felipe el Grande tome a su carga las honras de los vejados y *las vidas* de los vejadores, porque los unos queden hon-

[33]   En A. Paz y Meliá, *Sales españolas o Agudezas del Ingenio nacional* (2.ª serie), Madrid 1902, p. 337.

[34]   Emilio Cotarelo: "Dramáticos del siglo XVII", en *Boletín de la R.A.E.*, Año V, Tomo V 2/1915, cuaderno XXI, pp. 555-556.

[35]   Los dos últimos ejemplos sacados de A. Coello, Vejamen de 1638. A. Paz y Meliá, *op. cit.*

[36]   Cf. "Académie burlesque célèbre par les poètes de Madrid au Buen Retiro en 1637", par Morel Fatio (cap. VII de *L'Espagne au XVIe et XVIIe siècles. Documents historiques et littéraires*).

rados con su Real patrocinio, y nosotros reconocidos al
premio de sus favores.

La formulación es algo extraña y Rojas parece temer
alguna venganza sangrienta ¿por qué? Es posible que
por algún ataque cuyas consecuencias no midió y que los
coetáneos comprenderían en seguida. En efecto, partici-
pando de la grosería y del mal gusto de tales ejercicios,
el texto de Rojas revela a veces una falta de medida
que sorprende. Como botón de muestra, la presentación
del tacaño D. Francisco Calero: tiene una faltriquera
con divisa significativa y cuya letra era

> Este real inmortal
> vencer presume la muerte
> en mi poder que por fuerte
> es el más fuerte real. [37]

Aludir así a una divisa con "real" en una corte donde
se asesinó en agosto de 1622 a Villamediana —quizás
por orden del rey— debía de producir rumores y asombro entre los oyentes. Capaz de tal imprudencia, Rojas
podía peligrosamente "desenterrar los muertos..." [38] El
mismo Conde-Duque y hasta el monarca aparecen entre
los personajes presentados. [39] Pero no están ausentes

---

[37] Vejamen de don Francisco de Rojas, Paz y Meliá, *op. cit.*
[38] Villamediana había ostentado un escudo que rezaba "Mis amores son... reales". Se creyó que aludía a la Reina. Ahora los histo-
riadores piensan haber demostrado que se trataba de Francisca de
Cavara, querida de Felipe IV.
[39] A. Coello, por ejemplo, dijo lo que sigue en su vejamen citado: "Todo lo que es gastar, le parecerá a Vd. (Calero) mal, re-
pliqué yo; pero dejando esto aparte, consultándolo Vm. con su
lealtad y su sangre ¿fiárale Vm. esa bolsa a S.M.? Pues me parece
que no le había de hurtar nada.
   A que me respondió: —Señor, lo que es una bolsa siento yo
que la fiara, mas una sortija no se le puede fiar —¿Por qué?
—Porque se la lleva luego —Pues mirarle a las manos —Eso hago
yo, hasta con mi Rey.
   Ví que estaban jugando a los naipes en un bufete (bravos desatinos piensa el caletre del sueño) ¿quién pensara? No menos que
el Conde-Duque jugaba al hombre con D. Francisco Zapata... Díjele
a D. Juan: —No debe de saber jugar muy bien su excelencia el

tampoco de las burlas de Coello, y con insinuaciones iguales. Lo repito, pues, no me parece evidente que la única razón de la tentativa de asesinato haya sido los vejámenes. A veces se imaginó que el herido era un homónimo entre los que abundaban en aquel entonces: [40] don Francisco de Rojas y los Ríos, ayuda de cámara del Rey, caballero de Santiago, nacido en 1590; el licenciado Fr. de Rojas, poeta; don Fr. de Rojas Sandoval, poeta también; don Fr. de Rojas, procurador del número de Toledo; don Fr. de Rojas, cómico, apodado el Rapado, cuya esposa María de Escobedo dio a nuestro dramaturgo una hija, Francisca Bezón —nacida en 1636— que llegó a ser la célebre comedianta la Bezona. [41] (La adúltera tenía así la voluptuosa disculpa de su fidelidad al apellido). Además se pueden citar Agustín de Rojas Villandrando, autor del *Viaje entretenido*; Andrés de Rojas y Alarcón; N. Rojas y Prieto y don Diego de Rojas y Argomeda. Tal abundancia explica las dificultades encontradas, por ejemplo, para estudiar los libros de matrícula universitarios, [42] pe-

---

Conde-Duque —¿En qué lo funda Vm? replicó él. En que los muy diestros no suelen jugar con "Zapatilla" —Es que el Conde nunca juega de mala".

Por su parte Rojas, imaginando que un diablo le lleva de casa en casa (vejamen de 11 de febrero de 1638), ve al Marqués de Palacios que exclama: "¿Hay quien me quiera jugar esta sortija?" "¿Es buena?" digo Gabilia "Tan buena —respondió el Marqués— que se puede jugar con el mismo Rey de España". A lo que respondió D. Juan de Gabilia: "Sí, pero perderála V.S. con su Majestad" "¿Por qué?" dijo el Marqués "Porque Su Magestad, —dijo Don Juan— se lleva siempre cuantas sortijas juega a los mejores tahures". Y, un poco más lejos, aludiendo a la célebre muleta "encantada" de Olivares: "Esto está peor, dijo el Diablo; "¿por qué?" dije yo; "viene allí el Conde Duque —respondió— y me conoce a tiro de muleta... y los días pasados me tiró un palo con la muletilla, que, si me alcanza, no me deja para diablo, que tiene la muleta hechura de cruz, y podía dejarme peor que al demonio cojuelo."

[40] Citado por Mesonero Romanos (*B.A.E.*, *op. cit.*, p. VII) La Barrera afirma: "evidentemente, la noticia de la muerte, en 1638, del poeta Rojas, se refiere a otro del mismo nombre y apellido".

[41] Ver en *B.A.E.* (Tomo LIV, *op. cit.*, p. VIII) y en *Clásicos Castellanos* (Vol. 35, *op. cit.*, p. XXI).

[42] Hay que añadir errores más graves. En *La cour de Philippe IV*, de Martin Hume (traducción francesa, Librería Perrin,

ro ninguna de las personas mencionadas puede corresponder al "poeta celebrado" de los avisos de Barrionuevo. Francisco de Rojas Zorrilla sanó, pues de su herida, pero debió de conservar cierta debilidad en el corazón ya que el 21 de noviembre de 1640 se casó con doña Catalina Yáñez Trillo de Mendoza, teniendo el matrimonio un hijo único Antonio Juan de Rojas nacido el 25 de junio de 1642.

Coronando así la vida sentimental, le quedaba al poeta cortesano el deseo de llegar a la cumbre de la notoriedad social. Para lograr tal ambición verdad es que Rojas adulaba al monarca poeta con un desmedido desenfreno y sin embargo habitual en aquel entonces:

A este gran día (cuarto planeta de España) en que se dignan tus sagrados oídos de nuestras humanas voces, prorrumpa la mía en acentos y llegue a lo posible de tus atenciones mi deseo; alumbra (¡o sol de la Europa!) mis escritos con tus rayos, para que miren a mejor luz mis descuidos; inclíname ¡Marte Soberano! a las lides del ingenio... ¡Júpiter más atento! influye en mí los efectos de tu infusa ciencia, para que pueda mi pluma correr parejas con tu lanza; porque si aquélla (¡O Gran Felipe!) logra repetidos los aciertos en el circo, ésta presuma tan indeterminado el vuelo, que a tí, presumiéndose águila producida del ingenio, cuide usurparte los rayos solares. [43]

Satisfecho y agradecido el cuarto planeta de España (planeta menguante por desdicha), quiso pues que el pecho poético de su fiel turiferario ostentara la noble insignia de la orden de Santiago. El 20 de agosto de 1643, el Consejo de las Órdenes Militares expidió el decreto que nombraba informantes para recibir las pruebas a don Fernando de Peralta, y al doctor don Sebastián González del Álamo. Éstos tomaron declaraciones en Toledo al licenciado Francisco Francés de

---

1902), el autor atribuye a Francisco de Rojas una actividad política que corresponde, de seguro, a Francisco de Rioja. Cf. pp. 185, 247, 297 y 359.

[43] Principio del vejamen citado del 11 de febrero de 1638.

Úbeda y a Gabriel López. De tales informaciones resultó que el abuelo paterno de Rojas "era mulato, y comúnmente le llamaban el moro". En cuanto a la abuela paterna "es nieta de Rodrigo Ortiz Miscal, quemado por judaizante año 1490, y el sambenito está en Santo Tomás de Toledo". [44] Los informantes (que parecen acoger con malévolo júbilo las declaraciones contrarias al pretendiente) dejaron pues en suspenso la continuación de las pruebas hasta que el mismo Rojas, cansado de su vana esperanza, dirigiera al rey la siguiente demanda:

M. P. S.: Don Francisco de Rojas Zorrilla, digo: Que por mandato de Vuestra Alteza se le despacharon por informantes para el hábito del Señor Santiago, de que S. M. le hizo merced, a don Fernando de Peralta y el doctor don Sebastián González del Álamo. Y habrá cerca de un año que empezaron sus pruebas en la ciudad de Toledo, y sin haberlas acabado cesaron en continuar las diligencias necesarias, y aunque he acudido a que las prosigan no lo hacen, antes el dicho Dr. Álamo dice se ha excusado y que está ocupado en la cura del hospital de donde es administrador y que no puede ir a Montañas de Espinosa y otras partes donde tengo los orígenes. A V. A. suplico mande a dichos D. Fernando de Peralta y Doctor Álamo prosigan las pruebas y, de no hacerlo, den excusa por escrito para que V. A. provea lo que fuere servido. Pido justicia. Don Francisco de Rojas Zorrilla. [45]

Dicha justicia le fue administrada, ya que el consejo nombró nuevo informante en la persona de don Francisco de Quevedo. El insigne autor encontró que

concurrían en Rojas todas las calidades que disponían los establecimientos de la Orden, menos el que su padre, el alférez Francisco de Rojas, natural de Toledo ejerció en la ciudad de Murcia algún tiempo el oficio de escribano de número, defecto que necesitaba dispensación de su Majestad para obtener la dicha merced. Pero el Consejo

44 F, Ruiz Morcuende, *ob. cit.*, p. XXII y Mesonero Romanos, *op. cit.*, p. VII.
45 Cotarelo y Mori, *ob. cit.*, p. 13-14 y 82-84.

de las Órdenes dijo que el dicho alférez, Francisco Pérez de
Rojas, había servido a su Majestad en guerra viva muchos
años, así en las armadas de esta corona como en las
jornadas de Inglaterra, Irlanda, Islas Terceras y otras partes, como constaba de los papeles de sus servicios que
se habían presentado y obran originales en los autos de
las pruebas, los cuales habían parecido bastantes al Consejo para que su Majestad le hiciese merced de escribir al
embajador de Roma pidiendo a su Santidad la dispensación
que el pretendiente necesitaba. A lo cual asintió el Rey
en 19 de octubre de 1645. [46]

Desde aquella fecha pudo Rojas, como lo hacía don
Gaspar Bonifaz (según Coello en su vejamen de 1638)
ostentar "un habitazo de Santiago en los pechos".

Desdichadamente no gozó muchos años el dulce
placer de la vanidad social: en 1648 murió a los 41 años
de edad según consta en el archivo parroquial de San
Sebastián de Madrid, tomo de defunciones, fol. 347 v.:
"Don Francisco de Rojas, caballero del hábito de Santiago, casado con doña Catalina Yáñez de Mendoza,
Plazuela del Ángel, casas de su madre; murió en veinte
y tres de enero de 1648 años. Recibió los Santos Sa-
cramentos. No testó; enterróse con licencia del Sr. Vi-
cario. Dio de fábrica cien reales". [47] Así se terminó
de modo repentino la vida de un autor celebrado cuando
vivía pero cuya fama póstuma sufrió extraordinarios
vaivenes como vamos a ver en lo que sigue.

FAMA Y PERSONALIDAD LITERARIAS: JUICIOS DISCREPANTES

Si se ponen aparte algunos genios inconcusos y alpi-
nos es evidente que numerosos autores españoles han

---

[46] *Catálogo bibliográfica y biográfico del Teatro antiguo español, desde sus orígenes hasta mediados del siglo XVII*, por don
Cayetano Alberto de La Barrera y Leyrado, Madrid 1860. Citado
por Mesonero Romanos, *op. cit.*, p. VIII.

[47] No pudiendo conocer los trabajos de Cotarelo y Mori (1911),
escribe equivocadamente Mesonero Romanos en su tomo LIV de
la *B.A.E.* "Todavía puede sospecharse que vivía Rojas en edad
muy avanzada, cuando la reimpresión de las dos *Partes* de sus
comedias, hecha en Madrid en 1680".

sufrido altibajos en la estimación pública. A veces, la marea de su fama creciente iba ensanchándose hasta cubrir de admiración el mundo de las letras; otras, como mujer voluble, la moda les abandonaba, y la retirada era tan profunda que apenas subsistía tímido y lejano destello en el recuerdo de ciertos eruditos. Rojas Zorrilla no escapó a tal incertidumbre. Murió, acabamos de verlo, cuando alcanzaba las cumbres más elevadas del aprecio general. Sin embargo ¡cuántas discrepancias en los juicios emitidos sobre su valor en la historia literaria!

Julián Besteiro [48] no vacila en afirmar: "Yo lo confieso, querido amigo, que a pesar de las detenidas explicaciones de D. Alejandro Pidal, *García del Castañar* no me produce la más mínima emoción estética. Unas veces me causa risa, otras, disgusto, las más me deja indiferente..." El mismo Ramón de Mesonero Romanos, encargado de publicar en la *B. A. E.* las comedias escogidas de don Francisco de Rojas Zorrilla no disimula críticas acerbas: "otras (comedias) no merecen acogida de la sana crítica por su desaliño, extravagancia, y hasta monstruosidad de sus argumentos, y no producen otro efecto en el ánimo del lector sino un sentimiento de lástima al ver hasta donde solían olvidarse de sus excelentes dotes dramáticas y poéticas nuestros más grandes ingenios". [49] El eminente hispanista francés, Ernest Mérimée, expresaba un juicio más matizado aunque con reticencias evidentes: "Hay, mezclado con escenas enérgicas, un lirismo lleno de delicadeza y lleno de frescor, un sentimiento de la naturaleza bastante excepcional, pero el único carácter es el de García. Los monólogos y las tiradas resultan a veces inaguantables a causa del cultismo; los retruécanos se mezclan con las groserías". [50] Para terminar con las citas desprovistas

[48] Prólogo a *El Toledano Rojas* de Bravo Carbonell, 1908, Toledo.
[49] *B.A.E.*, tomo LIV, p. X.
[50] *Précis d'histoire de la Littérature espagnole*, Ernest Mérimée, Garnier Frères, Paris 1908, p. 352).

de entusiasmo, un extracto de la *Historia de la Literatura española e hispanoamericana* de Ramón D. Perés, Barcelona, ed. Sopena 1947, p. 430:

Francisco de Rojas Zorrilla, toledano (1607-1648), es muy distinto de Alarcón. Todo lo que es en éste equilibrio, buen gusto, discreción, es desigualdad, desequilibrio y mal gusto en el otro, mezclado con aciertos y momentos de gran autor. Es muy famoso su drama *Del Rey abajo, ninguno* o *García del Castañar*, que parece era la obra favorita de Isidoro Máiquez, y que allá por el siglo XIX, dicen que no había en Madrid casa algo regular en que no se hallara, colocado entre las lecturas favoritas; pero, con tanta reputación, hay que confesar que no es obra para hoy. Lo que estusiasmó a otros nos hace sonreír con incredulidad o aire de censura, por los gongorismos ridículos del autor; por sus inoportunas alusiones mitológicas (en lo cual no es el único, por cierto), puestas en labios que jamás, por la rudeza del medio en que viven, hubieran podido hablar de todo lo que el poeta les hace decir; porque no encuentra, muchas veces, con la facilidad genial de Lope o la corrección agradable, discreta, mesurada de Alarcón, la verdadera frase, los versos realmente inspirados que ha de poner en boca de sus personajes para que resulten verosímiles; finalmente, porque esa misma verosimilitud tampoco la sentimos nosotros, aun teniendo en consideración la diferencia enorme que existe entre las costumbres de los españoles del siglo XVII y las de los del siglo XX.

Es evidente que los admiradores de Rojas Zorrilla pudieran presentar su defensa y combatir con éxito cada una de las críticas del literato catalán. El propio, presa de simpático remordimiento, añade:

La verdad es que las positivas bellezas y la energía de este drama, que a veces parece una obra maestra y otras muchas no, hay que irlas entresacando, después de apartar la hojarasca... Yo prefiero a Rojas Zorrilla como autor cómico, aunque sea costumbre considerarle superior lo mismo en lo trágico que en lo cómico, y aun quizá más en el primero. Cuando no se le antoja enredarse en intrincadas series de conceptismos o de gongorismos que son charla inútil y molesta; cuando es humano sencillamente, y hasta vulgar, como en los tipos de Don Lucas del Cigarral y de Cabellera de *Entre bobos anda el juego,* entonces es cuando Rojas merece ser elogiado, y otro tanto ocurre en *Donde hay agravios no hay celos,* o en otras comedias que escribió. Aun en *Del Rey abajo, ninguno,* cuando García del Castañar y Blanca, su mujer, hablan con naturalidad campesina, es cuando mejor están. Testigo la escena XIII del primer acto, entre Doña Blanca y Don Mendo, en que aquélla rechaza con gracia y dignidad las galanterías de éste. [51]

Así resulta puesto de realce el aspecto múltiple del talento de Rojas y, por otra parte, nos encaminamos hacia los juicios más elogiosos que abundan por cierto. He aquí como Martínez de la Rosa hablaba de Rojas en 1825, después de criticar en él a veces "todos los defectos juntos que pueden afear las composiciones dramáticas": "Pero en Rojas parece que se ven dos poetas distintos, uno extravagante y afectado, que se afanaba por parecer elevado y sublime lisonjeando el mal gusto de su época, y otro lleno de amenidad y gracia cuando dejaba correr libremente su talento sin oprimirle ni hostigarle..." [52] Gil Zárate, por su parte en su *Manual de literatura* escribió:

El estilo introducido por Rojas era más retumbante aún si cabe, pero más claro, los versos armoniosos y ricos y las palabras en general más corrientes y usuales. Formaba una música que encantaba los oídos, y lo brillante de las figuras alucinaba además a imaginaciones ardientes que reparaban menos en lo exagerado de la pintura que en lo espléndido del cuadro... Su estilo es siempre culto y fluido; su versificación dulce, fácil y sonora; sus pensamientos tienen robustez y elevación, abundando en rasgos magníficos y sublimes. Acaso ningún dramático de los nuestros ha dado pinceladas más firmes y vigorosas, ni ha sabido prestar tanta

---

51 Ramón D. Perés, *op. cit.,* pág. 432. Es de notar que Julián Besteiro en el prólogo citado (1908) es de opinión contraria a propósito de la mismo escena: "¡Qué consistencia moral la de aquella criatura! Para virtuosa escucha demasiado a Don Mendo; para liviana emplea sobrados remilgos..."
52 En *B.A.E., op. cit.,* tomo LIV, p. XII, XIII, XV.

energía a los caracteres. Sus cuadros además están bien acabados, y suelen ofrecer escenas del mayor interés dramático.

En cuanto a Ochoa, en su *Tesoro del Teatro español,* llega a los elogios más ditirámbicos:

Rojas figura en primera línea entre nuestros escritores dramáticos, al lado de Lope, Calderón, Moreto, Alarcón y Tirso, y tiene entre ellos el mérito de haber sobresalido en el género cómico [53] como en el trágico; en este último, sobre todo, dotó a nuestro repertorio del mejor drama trágico que en nuestro concepto posee la lengua castellana: hablamos del *García del Castañar...* Dejando aparte a Calderón, a quien ningún otro de nuestros poetas dramáticos aventajó en nada, Rojas iguala, si no supera, a todos sus rivales en pureza de locución, y supera a todos sin duda en nervio: su frase es siempre más cómica y vigorosa, sus expresiones más castizas y propias, es decir, más adecuadas a la situación; y es esto tan cierto, que el hombre más versado en nuestra riquísima lengua difícilmente hallaría una palabra que alterar con otra equivalente en un verso suyo sin quitarle fuerza dulzura...

Sin apelar a numerosas otras opiniones —entre las cuales pudieran descollar la de Ángel Valbuena Prat (*Historia de la literatura española,* Barcelona 1946, p. 287, Tomo II) y sobre todo la de Raymond R. MacCurdy el mejor conocedor moderno de Rojas en quien vamos a apoyarnos tanto— ya se puede notar que Rojas Zorrilla es un hombre múltiple, diferente según la faceta observada y que "la crítica considera como un extraño dramaturgo, lleno de curiosas originalidades con respecto a las ideas teatrales de su época". [54] Es preciso descartar —aunque sea un rasgo notable de su personalidad— las obras de segundo orden en las que la crítica unánime encontró sorprendente desaliño y falta de gusto

---

[53] Bien sabido es que se le considera a Rojas como el creador de la comedia de Figurón, particularmente con *Entre bobos anda el juego.*
[54] "Alienación y realidad en Rojas Zorrilla" por J. Rodríguez Púertolas, *Bulletin Hispanique,* tomo LXIX, pp. 325 a 346.

incomprensible: *Los encantos de Medea, Los Celos de Rodamonte, El falso Profeta Mahoma, Los Trabajos de Tobías, Los áspides de Cleopatra* y hasta el mismo *Persiles y Sigismunda.* Nos queda entonces· un autor original que supo dar a la mujer dignidad y personalidad nuevas y que encontró problemas morales inusitados en la comedia española.

EL FEMINISMO DE ROJAS

Creo que la ausencia verdadera de la mujer como persona humana y su única presencia como objeto, catalizador del drama, es uno de los elementos que más sorprenden a los lectores de nuestra época en que la "liberación" de la mujer llega a extremos casi ridículos. A veces se estudia la psicología de la amante y los resortes del corazón (La Condesa Diana de *El Perro del Hortelano* de Lope, por ejemplo) pero rara vez el hombre hispánico considera al sexo débil responsable, digno y con categoría igual a la suya. En Cervantes —y ya no estamos en el teatro siempre más estereotipado— existe una galería de protagonistas cuyas debilidades considera el autor con mirada benévola y comprensiva y que tienen la palpitación honda de la vida auténtica. Pero... estamos con un genio único, tan enorme que en su obra todo lo humano se puede encontrar, y debemos acudir al teatro de Rojas para que la mujer actúe con dinamismo, nobleza y autoridad en el problema de la honra, hasta ahora especialidad varonil reservada.

Progne y Filomena son dos hermanas, hermosas las dos, aunque con ventaja a la segunda. Ésta, enamorada de Hipólito cuenta con sensibilidad y delicadeza la dulce derrota de amor:

> Y en un jardín una tarde,
> donde tus lágrimas eran,
> si de amor bien lloradas,

de mi dolor satisfechas;
apacible con tu ruego,
cariñosa con tu queja,
creyéndote como hermosa,
oyéndote como tierna,
viéndote activo en la llama,
solícito en la empresa,
llegando, al verme remisa,
la noche por medianera,
al arrullo de tu voz,
como si muy niño fuera,
dormido quedó mi honor
y mi esperanza despierta.
Ni aun flores fueron testigos,
porque la rosa doncella
se escondió en verde capullo,
o de prudente o de honesta;
arrugóse en su botón
la vergonzosa azucena... [55]

Para evocar con tal sensibilidad pudorosa el abandono de Filomena era preciso que Rojas considerara a la mujer no sólo como la piedra angular de la honra familiar, sino también como un ser de carne y de sentimiento cuyas debilidades tenían encanto, disculpas y explicaciones.

Filomena, pues, se considera esposa de Hipólito. Éste había preparado la venida del rey Tereo su hermano, el cual, llegando a Atenas para casarse con Progne se enamoró locamente de Filomena. Después de una tentativa frustrada, el rey Tereo, logrará forzar a Filomena en un tremendo arrebato de violencia sanguinaria. La tierna amante del principio, al ver las vacilaciones lloronas de Hipólito, le quita la daga y, después de saltar las tapias de la quinta real describe la horrenda violación a su engañada hermana Progne. La reina, como hija de noble sangre también, se apodera del puñal que dejara el rey Tereo y entablan las dos el siguiente diálogo: [56]

---

[55] *Progne y Filomena*, Jornada 1.ª.
[56] Ver p. 38 otro aspecto posible del drama.

FILOMENA: Tente, que aquesta venganza
            me toca a mí; pues no quedo
            satisfecha de mi agravio,
            si yo propia no le vengo.

PROGNE: También este agravio es mío.
            Dí, ¿cuando hace un adulterio
            una mujer, no merece
            la muerte?

FILOMENA: Ya lo confieso.

PROGNE: ¿Por qué?

FILOMENA: Porque va el honor
            de su esposo.

PROGNE: Luego es cierto
            que a mí me va el honor
            tuyo, siendo mi honor mesmo,
            con adulterio y agravio
            incurro en el mismo duelo.
            Luego con justa razón
            cobrar ahora pretendo
            de una muerte dos venganzas,
            y de un castigo dos premios.

FILOMENA: Sí; pero vuelvo a decir
            que no queda satisfecho
            mi deshonor.

PROGNE: Ni tampoco,
            aunque le des muerte, creo;
            pues tu honor no es tuyo ahora
            sino de tu propio dueño;
            su acero le ha de vengar.

FILOMENA: Pues si ha de ser con su acero,
            este acero es de mi esposo...;
            y supuesto que le tengo,
            yo quiero poner el brazo,
            pues él pone el instrumento.

PROGNE: Pues venguémonos las dos
            en un sacrílego pecho...

Ambas mujeres agraviadas matan luego al rey dormido y Filomena puede quedar "con honra" al terminar la comedia. En la obra entera la personalidad
de Filomena es dominante, no sólo por su hermosura y

su amor —lo que solía verse en otras obras— sino
por su entereza, su valentía y... su complejidad posible. [57] Aquí está la originalidad fundamental de Rojas. [58]
Y la igualdad de la mujer no está sólo en la responsa-
bilidad amorosa, sino que aparece en el derecho al
amor, tanto sentimental como físico. No creo que haya
en el teatro español clásico un autor más voluptuoso
que Rojas. Sin llegar hasta la violencia sensual de
Milene y Alaes de *La vida en el ataúd*, [59] es admirable
la tierna espera conyugal de Blanca, esposa fiel y enamorada. [60] Es posible y hasta "probable que aquí en
España la literatura erasmista haya entrado por mucho
en la formación de un ideal más humano de la mujer" [61]
pero se puede afirmar que Rojas era amante de la Mujer
y la estimaba y adoraba como tal. Así lo prueba la delicada, detallada y sensual descripción del baño de
Isabel en *Entre bobos anda el juego*.

"Era del claro julio ardiente día" cuando Pedro bajó
al Manzanares por el Sotillo, dirigiéndose a la Casa de
Campo y con intención de bañarse. Pero creo que es
mejor dejarle la palabra:

    Y apenas con pereza diligente
    la templanza averiguo a la corriente,
    cuando, alegres también como veloces,
    a un lado escucho femeniles voces...
    Voy apartando la una y otra rama,
    y en el tibio cristal de la ribera,

<hr/>

[57] Ver p. 38.
[58] Lo mismo pasa en *Cada cual lo que le toca*. "Un marido
débil, vacilante, abúlico, lleno de tristeza y dolor íntimo, pasea
por la escena sin decisión para la venganza de honra. Ha hallado,
al casarse, deshonrada a su mujer, y comunica sus penas al mismo
antiguo seductor de aquélla, su pérfido amigo. Isabel, la esposa,
mata a su burlador, y cuenta a su marido toda la verdad de su
pasado. Don Luis, el esposo irresoluto, no mata; perdona." A.
Valbuena Prat, *Literatura*, op. cit., p. 288. Esta comedia de Rojas
sorprendió tanto al público que fue acogida por silbidos y protestas.
[59] Ver la edición hecha por Raymond R. MacCurdy en *Clásicos
castellanos*, Madrid, 1961.
[60] *Del rey abajo, ninguno*, Jornada 2.ª.
[61] *Cada cual lo que le toca*, Edición de Américo Castro en *Teatro
antiguo español* III, Madrid, 1917.

a una deidad hallé de esta manera:
todo el cuerpo en el agua, hermoso y bello,
fuera el rostro, y en roscas el cabello...,
quisieron mis deseos diligentes
verla por los cristales transparentes,
y al dedicar mis ojos a mi pena,
estaba, al movimiento de la arena,
ciego o turbio el cristal...
Procuraban, ladrones, mis enojos,
robar sus perfecciones con los ojos
cuando en pie se levanta; todo yelo
cubre el cristal lo que descubre el velo;
recátome en las ramas dilatadas;
prevenidas la esperan las criadas,
dícenla todas que a la orilla pase,
y nada se dejó que yo robase,
y en fin, al recogerla
tiritando salió perla por perla,
y yo dije abrasado:
"¡Oh, qué bien me parece el fuego helado!"
Sale a la orilla, donde verla creo;
pónense delante, y no la veo;
enjúgala el halago prevenido
la nieve que ella había derretido,
cuando un toro, con ira y osadía,
que era día de fiestas este día,
desciende de Madrid al río, y luego...
Huyen, pues, sus criadas con recelo,
y ella se honesta con segundo velo,
que aunque el temor la halló desprevenida,
quiso más el recato que la vida...

Escena encantadora y contada con verdadera sensibilidad. ¿Cómo no enamorarse de Isabel? Y ¿cómo
pudiera Isabel, después de salvada por el heroico Pedro,
no corresponderle?

PROBLEMAS NUEVOS: SOLUCIONES INUSITADAS

Ya Cotarelo y Mori había escrito de Rojas:

Voluntariamente quiso apartarse de la pauta normal de
nuestro teatro, buscando nuevos problemas morales y lan-

ces en que el choque de las pasiones humanas revistiese formas inusitadas en nuestra escena. Su atrevimiento le indujo a idear situaciones ultratrágicas (fratricidios, filicidios, violaciones) y a presentar conflictos de honor muy pocos comunes en nuestro teatro antiguo. [62]

Ya hemos visto el caso de *Progne y Filomena*. Hipólito y el rey Tereo, hermanos, se oponen peligrosamente para el amor de Filomena. El primero, aunque amado y sin honra (según las normas clásicas), vacila en vengarse. Sin embargo organizará un ataque militar con la ayuda de su suegro. Es un triste conflicto familiar al que se añade la violencia senequista: el rey, enamorado furioso, para que calle la feroz víctima violada, le da una puñalada en la boca. Ya sabemos que la obra, original de por sí, se terminó de un modo sorprendente en la época: la venganza de las mujeres, venganza sangrienta y despiadada. Es de notar también que la dignidad monárquica de Tereo no le sirvió de amparo. Se portó como hombre vulgar, común, esclavo de pasiones bajas; como hombre criminal debía morir. Ya vemos que Rojas, aunque cortesano cumplido en Madrid, sabía vislumbrar las debilidades de Felipe bajo la grandeza del Rey Poeta. El mismo Tereo, cuya disculpa profunda y casi romántica es la fuerza incontrastable de una pasión arrolladora, presenta una defensa personal que nos puede conmover:

> ¿Soy el primero en el mundo,
> que sacrílego profane
> del templo del Dios vendado
> imaginarios altares?
> ¿Tan gran delito es en mí
> ser activo siendo amante?
> ¿Qué circunstancia un error
> a la Majestad añade
> que el que en el vasallo es leve
> en el rey viene a ser grave?

---

[62] E. Cotarelo y Mori, "D. Francisco de Rojas Zorrilla", *op. cit.*, p. 119.

Después de la reivindicación feminista, ¿no aparece aquí la humanización del Rey? Hasta se llegaría a creer que Tereo no le pareció demasiado antipático a Rojas. Tiene disculpas, a decir la verdad. Su casamiento con Progne se debe a un error de retrato: estaba enamorado de Filomena y se casará doloroso, pensando que su hermano organizó la burla para robarle la amada. En cuanto a la misma Filomena, su conducta merecería quizás la ayuda del psicoanálisis. Cuando sabe que el Rey aleja a Hipólito (tema bíblico de la guerra lejana para el marido cuando se codicia a la esposa) ella decide acompañar a su hermana y al tierno cuñado, ofreciendo por cierto muy buenas disculpas. En fin, cuando el Rey y su "marido" la esperan en la selva con la misma señal de cita, ¿qué fuerza oculta le hace elegir al Rey? Sería interesante conocer el comportamiento de Filomena en la Corte de Tereo durante los años de ausencia de Hipólito. Mujer fuerte y virilizada, decepcionada por la dejadez de Hipólito, es posible que haya buscado más o menos inconscientemente la derrota de una violación. Pero, los misterios del alma femenina son profundísimos. En cambio el corazón de Tereo es más comprensible; al morir, herido a un tiempo por su esposa y su víctima, deja escapar una frase única, prueba de su sinceridad y verdadero acierto teatral por las resonancias que implica: "Filomena, *tú* me has muerto..." Frase genial, acusación más que todo, y que puede modificar totalmente la óptica del enlace. La responsable del drama —y no sólo de la puñalada final sino de este amor de infierno— pudiera ser la Mujer, mujer misterio, mujer castigo. Y Tereo vendría a ser el juguete inconsciente, más débil de lo que parece, casi merecedor de simpatía. Así aparece también el Rey de Polonia en *No hay ser padre siendo Rey*. El Príncipe Rugero, energúmeno apasionado, mató a su hermano Alejandro (fratricidio involuntario. Creía Rugero degollar a otro, esposo de la mujer amada, en el mismo tálamo conyugal). El Rey debe sentenciar a muerte a su hijo asesino. Así lo hace... Pero la muchedumbre protesta, diciendo que aunque justiciero, el Rey no puede "dejarles sin heredero". El Monarca encuentra la debida solución. Abandonará la corona en su hijo, exclamando:

> Tú seas rey, yo seré padre;
> siendo sólo padre, es fuerza
> como padre perdonarte,
> y siendo rey, no pudiera;
> pues siendo tú rey ahora,
> es preciso que no puedas
> castigarte tú a tí mismo;
> y ansí, de aquesta manera,
> siendo yo padre, tú rey,
> partimos la diferencia... [63]

Estos pocos ejemplos han podido justificar ya la reputación de originalidad de Rojas. No son los únicos posibles, y el profesor norteamericano Raymond R. MacCurdy que dio a los estudios sobre Rojas Zorrilla nuevo y pujante dinamismo escribió:

De franca orientación senequista (no tanto en el sentido filosófico como en el dramático), Rojas es el dramaturgo del siglo XVII que cultiva más la "pura" tragedia de revancha. Si él se aparta a menudo del trillado sendero de los acostumbrados dramas del honor, es que sigue otra fórmula trágica —la de la ley del Talión, tan cultivada por los dramaturgos neosenequistas del siglo XVI, pero casi olvidada en el siguiente. [64]

[63] "En otra obra aún más intensa, *El Caín de Cataluña*, el conde, como jefe de su pueblo, ha de firmar la sentencia de muerte de otro fratricida; vacila, lucha, pero al fin cumple con la penosa obligación. ¿Acaba todo aquí? No; el conde ha cumplido como rey, pero le falta actuar como padre; y, particularmente, corre a la prisión y suelta al hijo. Importa poco que el resultado no sea feliz; el preso es matado a tiros por los guardias que desconocen que la fuga ha sido permitida por los altos poderes; pero el corazón de padre y los sentimientos de Rojas quedan a salvo. Además, dada la lógica del drama, la solución fatal y ejemplar exigían la muerte de Berenguer": A. Valbuena Prat, *Literatura*, op. cit., p. 289.
[64] *Clásicos Castellanos*, Vol. 153, *Morir pensando matar* y *La vida en el ataúd*. Edición por Raymond R. MacCurdy, 1961, p. XXVI.

Y, en efecto, tal faceta del inagotable Rojas aparece particularmente en tres tragedias de venganza *Los encantos de Medea, Morir pensando matar,* y la citada *Progne y Filomena.* [65]

Ya tenemos una idea de la complejidad literaria y de la riqueza temática de Rojas.

— Le vimos amante de la belleza o mejor, feminista en un sentido más amplio de la palabra. Pero no lo es con la admiración falsa y beatífica de un Don Juan mujeriego. Se da cuenta de los defectos:

> Tal llanto finge en sus brazos
> que parezca verdadero;
> pues las mujeres tenéis
> dos llantos con que vivís,
> el usado si fingís,
> pero el tardo, si queréis; ... [66]

y también del decaimiento físico de la vejez:

> De quince a veinte es niña; buena moza
> de veinte a veinticinco; y por la cuenta
> linda mujer de veinticinco a treinta:
> ¡Dichoso aquel que en tal edad la goza!
>
> De treinta a treinta y cinco no alboroza
> pero puede pasar con sal-pimienta,
> mas de los treinta y cinco a los cuarenta
> cría niñas que labran su coroza.
>
> Ya de cuarenta y cinco es bachillera
> habla gangoso y juega del vocablo;
> de cincuenta cerrados es santera;
>
> y a los cincuenta y cinco hecho el retablo
> niña, moza, mujer, vieja y hechicera
> bruja y santera se la lleva el diablo. [67]

---

[65] Para profundizar el tema se debe leer en *Les Tragédies de Sénèque et le théâtre de la Renaissance* C.N.R.S., de París, 1964, el artículo de Raymond R. MacCurdy: "La tragédie néo-sénéquienne en Espagne au XVIIᵉ siècle, et particulièrement le thème du Tyran", p. 73 a 85.

[66] *Progne y Filomena*, Jornada 1.ª, esc. 1.ª

[67] "A idade da mulher" en *Coleçao política de Apophtemas memoraveis*. Sacado de Bravo Carbonell, *op. cit.,* p. 46.

— Admite la importancia del honor como resorte dramático:

> He de reñir con los dos,
> y aún matarlos ofendido,
> porque en tocando en mi honor
> no hay amigo para amigo. [68]

...pero también es capaz de enseñar lo absurdo de su dramatismo:

> Duelista que andas cargado
> con el puntillo de honor,
> dime tonto ¿no es peor
> ser muerto que abofeteado?
> ¡Y que a la muerte tan ciertos
> vayan porque el duelo acaben!
> Bien parece que no saben
> los vivos, lo que es ser muertos. [69]

— Halaga al Rey verdadero de una manera que nos molesta, ...y en sus obras puede considerarle como a un hombre cualquiera.

— Suele ostentar delicadeza y poesía en sus versos, ... y puede caer en las mayores groserías y vulgaridades.

— En sus tragedias de venganza las escenas sangrientas pueden llegar al más horrendo dramatismo, ... y su talento cómico es el que obtuvo las más seguras alabanzas.

— Es capaz de agradar al público con obras servilmente vulgares, ... y puede por otra parte idear soluciones originales y dramas totalmente nuevos.

Cabe, pues, plantear el problema de la personalidad de Rojas. Es como si hubiera existido en él un conflicto entre su humilde estirpe —por ejemplo— y sus deseos de promoción nobiliaria; entre la comprensión inteligente de la verdad histórica y social de la España de

---

68 *No hay amigo para amigo*, Jornada 3.ª.
69 *Donde hay agravios no hay celos, y amo y criado*, Jornada 3.ª.

los Felipes, y los tópicos obligados de una falsa tea-
tralidad. Lejos de ver un reflejo del alma de su pueblo
en los conceptos imprescindibles de la comedia, Rojas
sentía la exageración peligrosa, o la mentira evidente.
Debía complacer al vulgo, como lo logró con tanto
genio Lope, pero lo hacía con remordimiento, reaccio-
nando a veces. El público español, en una nación que
caminaba hacia la derrota, donde las costumbres morales se viciaban cada vez más, exigía el espectáculo de
su grandeza pasada, de su pureza orgullosa. En las comedias encontraba el psicodrama de compensación que
le ocultaba la caída. Y Rojas, consciente de su propio
abandono y luchando muchas veces contra él produjo
un drama magnífico según la pauta tradicional, de seguro, pero "que refleja las contradicciones en que se de-
batía y que pone de manifiesto la angustiada circuns-
tancia humana y social del siglo de oro español": [70]

Del rey abajo, ninguno o El labrador más honrado, García del Castañar

De la obra maestra no se conoce manuscrito. La primera edición que consta se publicó en la *Parte 42 de
comedias de diferentes autores,* a nombre de Calderón
(Zaragoza 1650). [71] De la misma época parece ser una
impresión suelta, sin lugar ni año, que utilizó Federico
Ruiz Morcuende para su edición de los *Clásicos Castellanos.* [72] Muy pocas diferencias ofrece con la edición

---

[70] "Ha de tenerse en cuenta que ese nacionalismo y ese popu-
larismo —tanto el del vulgo, público de la comedia, como el del
autor a él sometido— reflejan necesaria y fatalmente toda la topi-
ficación hispánica de la época y toda la exageración mitómana de
los conceptos universalmente aceptados como "típicos" y "castizos".
Alienación y realidad en Rojas Zorrilla, J. Rodríguez Puértolas,
op. cit., p. 331.

[71] En el prólogo de la cuarta parte de sus comedias publicada
en Madrid (1672) Calderón coloca la obra entre las que se le
atribuyeron erróneamente.

[72] Pertenecía a Don Emilio Cotarelo y Mori. Hoy es propiedad
de su hijo Armando Cotarelo Valledor (*Clásicos Castellanos,* vol. 35,
op. cit., p. L).

de Mesonero Romanos en la *Biblioteca de Autores Españoles,* Tomo LIV, Madrid (1952). Cuando ambos textos (que sirvieron de base a la presente edición) se alejan, lo hemos notado (*B.A.E. Clásicos Castellanos*).

A.   *Argumento*

Jornada Primera: Alfonso XI de Castilla prepara el ataque de Algeciras, ayudado por el Conde de Orgaz y don Mendo, el cual suplica de nuevo al rey que le haga "caballero de la Banda". En la lista de los ofrecimientos guerreros de los vasallos descuella la liberalidad de García del Castañar de tal manera que Alfonso, sorprendido, quiere conocer a tan generoso súbdito. Le visitará, disfrazado, acompañado por Don Mendo, ya con la Banda puesta y Grande de España.

Una escena en el Castañar nos demuestra la apacible dicha campesina de los simpáticos esposos Blanca y García. Éste recibe una carta del Conde de Orgaz señalándole la visita del rey de incógnito... pero "es el de la banda roja". Al llegar a la magnífica casa de García, Don Mendo a quien todos creen el Rey, se enamora de Blanca y la requiebra en vano.

Jornada Segunda: El Conde explica a la Reina el misterio de la estirpe de García y de Blanca: son de sangre real y sus padres han tenido que ocultarse por razones de política. En cuanto a Don Mendo, herido de un amor violento, prepara con los consejos de Bras —criado de García— una traición en el Castañar. En efecto vemos a García de cazador en el monte, acechando el oso y el jabalí. Dos hombres extraviados en la noche (Don Mendo y su criado) vienen a turbar su espera... En el Castañar, Blanca se divierte con los criados en una escena llena de sencilla dicha y acoge con alegría al cazador su esposo, cuya vuelta fue adelantada por el ruido de los desconocidos viajeros. De repente se abre el balcón y aparece el seductor. García cree conocer al Rey (Don Mendo); no lo puede matar pero le obliga a fugarse por la ventana. ¿Qué puede hacer para salvar la honra?... Matar a Blanca, inocente causa del drama.

Jornada Tercera: El Conde de Orgaz se acerca al Castañar... cuando aparece Blanca, turbada y apenas vestida. ¿Qué ha pasado? Ella explica en una escena de magnífico lirismo como, a punto de asesinarla, cayó desvanecido García. El Conde la manda a Toledo donde la Reina la amparará. Sale al escenario el noble esposo, despavorido, trémulo y con un puñal desnudo. Su dolor es tremendo y aumenta todavía cuando sabe por boca del Conde que Blanca está en Toledo, en palacio, entregada al monarca enamorado. Llegado a su vez a Toledo, García encuentra a Don Mendo con Blanca. Ésta rechaza con nobleza los requiebros de aquél mientras la Reina ha ido a buscar a Alfonso para explicarle el misterio de la sangre de los esposos. García, siempre paralizado por su erróneo respeto a la persona real, se porta de un modo dolorosísimo que merece el desprecio de Don Mendo. Llega el rey verdadero; García, dándose cuenta de su error, no vacila ni un segundo en asesinar al seductor vulgar. Después, explicando su alcurnia y su violencia, merecerá el perdón de Alfonso y será en Algeciras el rayo de los enemigos.

Presentada así la obra, escuálida, demacrada, pierde todo su magnífico encanto, su poesía, su pasión. No aparecen los lances imprevistos y las mil bellezas que dejan a los espectadores siempre pendientes del enredo, pero es posible darse cuenta de la trama general y poner de manifiesto las fuentes principales de la obra.

B. *Las fuentes*

Se han señalado muchas relaciones con obras similares y particularmente con *El Comendador de Ocaña* de Lope, *La mujer de Peribáñez* de Montalbán, *El Celoso prudente* de Tirso, *La Luna de la sierra* de Vélez de Guevara y *El villano en su rincón* de Lope.

Es evidente que existen ciertas relaciones entre el Juan Labrador de *El Villano en su rincón* y el García de *Del rey abajo, ninguno*: los dos nunca vieron al rey y le veneran. La misma visita real de incógnito. Merienda en ambos casos y tema "alabanza de aldea", etc. También aparecen puntos comunes con las obras citadas antes, pero creo que es más interesante todavía la fuente puesta de realce por Joseph G. Fucilla.[73] Se trata de un episodio de *La Vida de Marcos de Obregón* de Vicente Espinel, en el que Aurelio explica a Marcos el drama de su vida.[74] Es la misma atmósfera idílica y campesina. Aurelio también es gran cazador y su esposa le espera con la misma impaciencia que Blanca. El músico Cornelio trata de aprovechar la ausencia venatoria del marido para introducirse en la casa con una escala. Sorprendido, caerá… y Aurelio le matará, queriendo degollar después a su esposa. En vano, un poder sobrenatural (?) estorba el asesinato. En efecto, es inocente la consorte y, sin embargo, acepta la muerte en aras del honor marital. Hay muchos parecidos con la obra maestra de Rojas, pero también muchas diferencias: la personalidad de Blanca es mucho más palpitante que la de la esposa de Aurelio; García es un personaje mucho más simpático y majestuoso que Aurelio; Don Mendo es un rival peligroso y seductor, Cornelio es un ser despreciable. En fin, y creo que es un punto esencial, Aurelio no puede lograr su intento asesino por intervención divina: la inocencia no debe perecer. Es totalmente diferente en García del Castañar. A lo menos, lo creo yo. El brazo del marido no puede matar a la esposa porque le paraliza la fuerza más humana, más teatral, más potente: el amor. Me parece que la personalidad del protagonista principal sigue mejor así la pauta del pensamiento de Rojas y toma

---

[73] Las fuentes de *Del rey abajo, ninguno*, Joseph G. Fucilla. *Nueva revista de filología hispánica*, tomo V, año 1951, pp. 381 a 393.

[74] *Vida de Marcos de Obregón*, edición y notas de Samuel Gili Gaya, Madrid 1923, vol. II, pp. 182 y siguientes.

un tamaño mucho más humano y universal.[75] Prefiero un milagro de amor a un milagro a lo divino, porque creo que Rojas se interesaba más en lo humano y lo entendía mejor (sus autos sacramentales, en efecto, son francamente mediocres). Por eso me parece que es preciso señalar una fuente contemporánea posible que pudiera corresponder a la manera del toledano: un episodio de la vida amorosa de Felipe IV.

Cuenta el viajero francés Brunel[76] lo que sigue: "Refiérese que una noche, habiéndose atrevido (el Rey) a entrar en la casa de un señor, que conocía sus pretensiones amorosas para con su mujer, fue no sólo arrojado de allí, sino maltratado, pues estando en acecho aquel hombre con sus amigos, empujó tan vigorosamente al rey, que le hirió en un brazo, en la calle donde disputaban, y se preparaba para mayor violencia, que hubiera llevado a término si el Conde-Duque, única persona que acompañaba al rey no hubiera dicho quién era éste: el ofendido, que lo sabía muy bien, trataba de bellaca y embustera la declaración del duque, diciendo que no por ella escaparían, y que el rey era un príncipe demasiado virtuoso para vivir en aquella guisa. Hubiera pasado a mayores, de no haberlo impedido el que le acompañaba". El mismo acontecimiento aparece en el *Journal d'un voyage* de Bertaut (la seductora es la Duquesa de Veragua) y en Madame d'Aulnoy en su *Relation du voyage d'Espagne* (prestando el papel de hermosa a la Duquesa de Albuquerque).

Lo más importante de todo es que, con tal trivial episodio, con recuerdos posibles de obras magníficas, de seguro, Rojas haya podido crear un drama diferente, nuevo, elaborando una poesía personal, haciendo de

[75] Gil y Gaya en su edición citada (p. 187, vol. II) es de parecer diferente: "Recuérdese que García del Castañar siente también su brazo detenido por una fuerza *misteriosa* cuando va a herir a su esposa. Se trata de un tema corriente en la literatura de entonces".

[76] En *Voyage d'Espagne*, París 1665-1666. Citado por José Deleito y Piñuela en *El rey se divierte*, op. cit., p. 21.

tipos obligados personajes de cualquier época, trocando en oro cualquier metal que tocase.

C. *Algunas consideraciones finales*

Al hablar del problema de honor siempre me llega a la memoria una antigua canción del folklore francés que poco más o menos dice lo que sigue:

> Decid, Marqués, ¿la conocéis?
> ¿Quién es la dama hermosa?
> Le contestó el Marqués:
> "Majestad, es mi esposa".
> Marqués, más feliz que yo
> sois con mujer tan bella.
> Si me la quisierais dar
> yo me encargaría de ella.
> "A no ser rey vuestra Alteza
> buscaría venganza...
> mas ya que se trata del Rey
> debo yo obediencia". [77]

Es casi el tema central de *García del Castañar,* y es la prueba de que el acato que se debía a la real persona era tan profundo en Francia como en España. Los villanos y los hidalgos cuando la consorte le gustaba al Rey solían inclinarse sin demasiada resistencia. A veces, se debe confesar que la amargura llegaba a extremos extraordinarios. Así es que el marqués de Montespan se entregó a manifestaciones de despecho extrañas (como alzar los dinteles de las puertas para

[77]   Dis-moi, Marquis, la connais-tu? (bis)
Quelle est cette jolie dame?...
Et le Marquis a répondu:
"Sire Roi, c'est ma femme..."

Marquis, tu es plus heureux que moi (bis)
D'avoir femme si belle...
Si tu voulais me l'accorder
Je me chargerais d'elle.

Sire, si vous n'étiez pas le Roi, (bis)
J'en tirerais vengeance...
Mais, puisque vous êtes le Roi:
A votre obéissance...

dejar paso a sus cuernos) pero que tienen cierta justificación. Sin embargo nunca manifestó la intención de asesinar a Louis XIV. En Francia, donde parece que los nobles buscaban sobre todo la honra guerrera y estatal se podía matar al monarca por razones de política, pero si las esposas deslumbradas y seducidas fueron bastante numerosas, los esposos sedientos de sangre y justicieros parecen haber sido pocos. Es evidente que existían argumentos convincentes menos elevados que el respeto debido al divino soberano y muchos ascensos rápidos y... lejanos estribaron en los méritos de un rostro encantador más que en los de una testa cana y llena de cordura. Pero no debemos olvidar que la persona real era en aquel entonces la piedra angular de la sociedad entera. Su autoridad era de origen divino, otorgándole la Santa Crisma inmunidad absoluta. Que un ser tan excepcional quedase fuera del alcance de las reacciones violentas de sus vasallos resulta perfectamente normal; que en Francia, la "dulce Francia", el amor sea una disculpa valedera hasta contra la fe conyugal suele admitirse: era casi un tópico que se había adoptado en Europa y cuyas consecuencias se notan todavía hoy. Pero ¿cómo podía solucionarse un problema semejante en la tétrica y orgullosa España del siglo de oro?

El "honor castellano", en efecto, pertenece a las expresiones estereotipadas que simbolizan a las naciones europeas. Como la "Flema" es británica y la "Furia" francesa, el "Pundonor" es español. Pero la flema es una fuerza poco dinámica: las pasiones obedecen a la sangre fría y al *self-control*; la furia pertenece a la historia y anima grandes frescos mejor que dramas íntimos. En cambio, el problema de la honra hiere atrozmente al hombre que vive en sociedad y puede ser el resorte inmediato de luchas dramáticas. Su campo predilecto será, pues, el teatro y como lo manifestó un perito tan admirable como Racine "sólo lo verosímil conmueve en la tragedia", cabe preguntarse si el honor español era en la época de Rojas tan cosquilloso en la vida como lo es en las comedias.

Don José Deleito y Piñuela, catedrático de Historia en la Universidad de Valencia estudió la época de Felipe IV en una serie de volúmenes que se leen como una novela. En el tomo dedicado a *La Mujer, la Casa y la Moda* hay dos capítulos que pudieran prestarnos grandes servicios en nuestro intento. El primero se titula "El Honor y el deshonor" y el segundo "Venganzas por puntos de honra". La lectura de estas ocho páginas escasas (págs. 75 a 82) no ofrece el acopio de ejemplos sangrientos que se esperaba. Hasta parece que el autor tuvo que buscar para encontrar episodios significativos. Claro, nos cuenta lances luctuosos: "Constan en Avisos, noticias, memorias y Relaciones de la época, sensacionales venganzas por celos o puntillos de honor". Acude, por ejemplo, al testimonio de Madame d'Aulnoy (Marie Catherine Le Jumel de Barneville) cuya *Relación del viaje a España* ya citada puede ponerse en tela de juicio, a pesar de su evidente valor literario. Relata la Condesa d'Aulnoy la muerte de Doña Clara "prometida esposa del Conde de Castrillo, y a la que su hermano, creyendo falsamente culpables tales relaciones, estranguló una noche en su alcoba. El conde disfrazado de aguador, castigó con la muerte al fratricida, y consiguió escapar de la venganza de los deudos de su víctima, poniéndose en salvo". [78]

También podemos leer en las noticias publicadas por Rodríguez Villa en 1637: "El Jueves Santo, Miguel Pérez de las Navas, escribano real, habiendo aguardado ocasión y día en que su mujer había confesado y comulgado, la dio garrote en su casa, haciendo oficio de verdugo y pidiéndola perdón, y esto por muy leves sospechas de que era adúltera". [79]

No debemos considerar la espera del celoso furioso como siendo rasgo de cinismo. Este hombre ultrajado —o creyendo serlo— seguía amando al objeto de su tormento y no deseaba entregarlo a las llamas eternas

---

[78] *La mujer, la casa y la moda*, op. cit., p. 80.
[79] *La mala vida en la España de Felipe IV*, J. Deleito y Piñuela, Madrid 1948, p. 83.

del infierno. Es una postura normal en una época católica en la que un herido de gravedad pensaba primero
en su alma y pedía: "¡confesión!" y no "¡médico!"...
quizás por mera prudencia. Recordemos también que
el Fuero Juzgo, traducido y modificado bajo Fernando III y Alfonso X, pero vigente ya en época de los
godos (*Liber Judicorum* o Código) disponía que se en-
tregara los adúlteros a la voluntad del esposo engaña-
do. Parece que en el siglo XVII algunas parejas ilegales
se hayan encontrado en tal angustioso paso. En efecto,
Salcedo Ruiz cuenta en *La literatura española* (Tomo
III, pág. 74, citado por Deleito y Piñuela, *op. cit.*) algunos episodios que lo demuestran. Se han sacado de
los *Anales eclesiásticos y seculares de Sevilla*:

El 26 de septiembre de 1629, la justicia sevillana entregó
a un maestro sastre catalán llamado Cosme a su mujer y
al amante de ésta, que era oficial de la sastrería, para que,
por su mano, los hiciera perecer en el patíbulo. Camino
de él, los frailes encargados de ayudar espiritualmente a
los reos hicieron correr la voz de que el esposo los per-
donaba; nególo éste, y la muchedumbre promovió un
tumulto, a favor del cual fugóse el maltrecho oficial y se
llevó a la mujer a la iglesia de San Francisco.

En 1644, otro esposo "de frente adornada" otorgó a
los culpables relativa merced: la esposa iría a terminar
su vida en un convento; el amante iría a galeras. La
ley podía ser muy severa cuando lo exigía el marido,
y los crímenes debidos al honor conyugal existían de
veras. Pero existían también los maridos complacientes,
tan frecuentes en las obras novelescas como los pun-
donorosos en el teatro. Además, la lectura de los pe-
riódicos actuales nos acostumbra a dramas de la pasión
tan numerosos (a lo menos) como los de los avisos
españoles del siglo XVII. Es casi una suerte. En, efecto,
a ser los esposos clásicos tan expeditivos como suelen
serlo en muchas comedias, la villa del Oso y del Ma-
droño se hubiera transformado rápido en un inmenso
camposanto. Una sociedad en la que la única norma

social hubiera sido la que rige ciertas obras de Lope y muchas de Calderón hubiera resultado inhumana y demente. Lo sabían perfectamente los dramaturgos y es interesante tratar de conocer las razones profundas de ésta como alienación que aparece en sus obras.

Ya hemos visto (pág. 42) que el público lo exigía y que este "negativo fotográfico" de la sociedad constituía una compensación intelectual al sentimiento inconsciente de decaimiento moral e histórico.

Por otra parte, la personalidad de la mujer no podía colocarse en la sociedad como lo hace hoy día. Desempeñaba otro papel, diferente y delicado. Las relaciones entre el hombre y la mujer no podían considerarse en el siglo XVII como hoy día. La mujer sólo era amor, amor de madre —noble y profundo—, amor conyugal —respetable y fuerte—, amor sensual —peligroso y brutal. La colaboradora, la secretaria, la estudiante, la profesora, etc., no existían. Una mujer joven, de viaje y sola —por ejemplo— no podía actuar sino por violentos motivos sentimentales, nunca por obligación profesional o social. Debía ocultarse y esto explica la presencia frecuente en Cervantes y otros autores de gráciles mancebos cuya feminidad aparece de repente al hundirse un pie de nieve en el agua cristalina de algún arroyo o cuando el oro oculto de una cabellera flexible ondea al viento de la tarde. [80] Por lo tanto la sospecha se explica mejor. La honra pierde su valor de obsesión para tomar un aspecto social. El marido, el hermano saben perfectamente que cualquier error, cualquier imprudencia de la esposa, de la hermana se considerará como acción de amor, y que no hay posibilidad de otra interpretación. Saben que "aunque la honra se gana con actos propios, depende de actos ajenos, de la estimación y fama que otorgan los demás. Así es que se pierde igualmente por actos ajenos, cuando cualquiera

[80] Leí años atrás, no me acuerdo donde, alusiones apenas veladas a la afición de Cervantes por los andróginos. Creo que es perfectamente posible que haya genios de la literatura sin apelar a tal tendencia moderna de la crítica literaria y artística.

retira su consideración a otro: una bofetada, un mentís deshonran si no se vengan, y la deshonra es a par de la muerte". [81] En cambio, el honor perdido puede recobrarse con una venganza repentina y súbita, hasta si llega a ser un deber doloroso y el carácter social de aquel tipo de homicidio queda puesto de realce por la relación que existe entre la honra y la opinión pública. Tal idea —el valor social del crimen de honor— explica que sea el único rey como clave de arco del edificio social quede inmune. Así lo afirma Menéndez Pidal:

La venganza de honor es la defensa de un bien social que hay que anteponer a la vida propia o de los seres queridos; sólo cede ante el respeto al rey, o sea ante el bien común de la patria; tiene carácter de heroicidad estoica, de deber doloroso, que se cumple con sereno sufrimiento. [82]

La comedia *Del Rey abajo, ninguno* sigue tal definición. La tradición atribuye la obra a Rojas Zorrilla, aunque desde el principio la paternidad ha sido incierta (cf. pág. 57). El insigne catedrático norteamericano Raymond R. MacCurdy (Universidad de Albuquerque, New Mexico) tiene dudas:

No es éste el lugar para plantear el problema de la autenticidad de la obra. Por esto vacilo en expresar mis dudas. Pienso que *Del Rey abajo, ninguno* comedia en que estriba sobre todo la fama de Rojas no le pertenece, a lo menos, en su totalidad. Hasta ahora mis dudas se apoyan en parte en una impresión propia y poco convincente: al leerla, no siento la comedia como obra de Rojas. Pero existe un argumento más fidedigno: la versificación, tanto como la construcción dramática (a mi parecer) no son características de este dramaturgo. [83]

---

[81] *De Cervantes y Lope de Vega* (El honor en el teatro español), Menéndez Pidal, Espasa Calpe, 1948, p. 136.
[82] *De Cervantes y Lope de Vega*, op. cit., p. 144.
[83] *Francisco de Rojas Zorrilla and the Tragedy* by Raymond R. MacCurdy (University of New Mexico Press), Albuquerque, 1958, pp. XI y XII.

Este punto último se encuentra también, con más detalles, en *Bulletin of the Comediantes,* IX (Spring, 1957) en el que MacCurdy escribe:

Rojas fue uno de los mayores romancistas del Siglo de Oro. Las comedias de sus dos *Partes* (cuya autenticidad es indudable) presentan el 64 por ciento de romance, apareciendo el porcentaje menor en *Progne y Filomena* con el 38 por ciento. *Del Rey abajo, ninguno* contiene sólo 26 por ciento, y la jornada primera un escaso 10 por ciento. En el conjunto de las obras de las dos *Partes* sólo hay un soneto (en *Persiles y Sigismunda,* quizás la primera comedia que Rojas escribió solo). *Del Rey abajo,* ... tiene dos. Ninguna comedia de las *Partes* contiene liras (a B a B c C); *Del Rey abajo,* ... tiene 42 versos (Jorn. 1.ª versos 221 a 262). Ninguna comedia de Rojas contiene estancias líricas, o el tipo de canción o Silva que encontramos en *Del Rey abajo* (jornada 2.ª versos 1481-1492). Una sola comedia en las *Partes* (*Lo que son mujeres*) contiene seguidillas, que encontramos en los versos 1269-1276, 1281-1282 de *Del Rey abajo.* Considerando la relativa pobreza de romance en *Del Rey abajo, ninguno* y la presencia de formas de versificación que no existen o son raras en las *Partes* de Rojas, no puedo pensar que sea suya tal versificación.

Es evidente que las dudas del mejor especialista mundial de Rojas dejan pendiente un problema fundamental. Sin embargo, y en espera de un estudio más detallado y definitivo del insigne catedrático de Albuquerque le dejaremos a Rojas Zorrilla la gloria de una obra que —de todos modos— era capaz de haber escrito.

El protagonista principal de la obra maestra ve su honor mancillado. Se llama García del Castañar, y su carácter es noble, tanto como su estirpe aunque misteriosa. Sin embargo, no puede vengarse de su ofensor a quien cree ser el rey y tendrá que buscar otra solución... Aquí hay dos puntos que se han tachado de debilidades con respecto a comedias contemporáneas: [84] el hecho de que el seductor no sea el verdadero rey

[84] Ver en *Historia del Teatro español* de Francisco Ruiz Ramón, El libro de bolsillo, Madrid, 1966, pp. 344-356.

(como en *La estrella de Sevilla,* de Lope, en que el
Rey desempeña un papel repugnante) y que García no
sea un auténtico campesino como el Peribáñez de Lope
o el Antón de Vélez de Guevara en *La luna de la Sierra.* [85] No se puede negar que el alcance social y en
cierto modo revolucionario de las comedias citadas es
mayor que en *Del Rey abajo, ninguno.* Pero creo que
el fin de Rojas era diferente. Lo que quiso describir
fue la lucha entre un amor sublime y una obligación
absoluta de suprimirlo: una mujer; un hombre y el
crimen obligatorio. Lo mismo hubiera pasado, en otra
época, con una esposa adorada, pero responsable por
ejemplo, de una enfermedad extraña, peligrosa para la
humanidad entera. El esposo *tiene que* matarla para que
no desaparezca la raza. Aquí es lo mismo. La sociedad
estriba en el Rey y en la Honra: si un noble acepta el
deshonor, se derrumba la sociedad toda. Si se aceptan
las premisas, las conclusiones son perfectamente lógicas
y García no puede encontrar otra solución que el asesinato de Blanca, aunque sea pura e inocente. El tema
es conocido y no justificara el éxito de la obra de Rojas
por sí solo. Como mera comedia del honor y del respeto que se debe al Rey *Del Rey abajo, ninguno* puede
parecer inferior a obras similares de Lope (*Los Comen-
dadores,* por ejemplo) o de Calderón (*El Tetrarca de
Jerusalén...* y muchas otras). Es preciso, pues, que la
obra maestra de Rojas Zorrilla tenga otras cualidades
y otros encantos. Claro, es un drama del honor, pero
un drama con dos protagonistas. La esposa de García,
Blanca es una mujer joven, hermosa, amada y que
ama: actúa, padece, huye y acepta la muerte para
triunfar al final. Es un drama en el que el esposo no
puede considerar a su esposa sólo como el elemento

---

[85] William M. Whitby (University of Southern California) piensa
que "The fact that the problem of discovering truth beneath the
obscure surface of appearances is universal and sempiternal in
the history of man's mortal existence might help explain the
continuing popularity of *Del rey abajo, ninguno.* "Appearance and
Reality in *Del rey abajo, ninguno*", *Hispania,* vol. XLII, May, 1959,
pp. 186-192.

esencial de su honor, sino también como un ser humano. A pesar de sus esfuerzos, García no puede obrar con la fría resolución que debieran imponerle las normas: vacila, tiembla. Su dolor es tal que sufre un desmayo al querer matar a la noble Blanca.

¡Cuán lejos estamos de los monstruos dogmáticos que presenta Calderón en *El médico de su honra* o *La devoción de la Cruz*! En esta comedia Curcio asesina a su esposa al pie de una cruz cuando ella estaba a punto de dar a luz a un niño. ¿Por qué razón?: sólo la sospecha imaginaria:

> No digo que verdad sea
> pero quien nobleza trata,
> no ha de aguardar a creer,
> que el imaginar le basta. [86]

Y, aunque protestando (¡oh ley tirana / del honor!, ¡oh bárbaro fuero del mundo) llevará a cabo su repugnante hazaña.

García, a pesar de su lealtad social, a pesar de su insigne alcurnia no pudo cometer el crimen inhumano. Y ¡no se trata de falta de entereza! En cuanto se dé cuenta de que el ofensor es don Mendo, su venganza se termina en seguida. Lo que paraliza al protagonista es el Amor, un amor raro y precioso, fuerte y cálido, poético y tierno: un amor conyugal. Un esposo sincero y valeroso; una esposa firme y tierna. ¿No sería acaso el verdadero secreto de Rojas?

Supo prestar un acento de honda humanidad a un problema demasiado teórico. Don García nos conmueve; Doña Blanca nos seduce; una pareja de autómatas no hubiera podido llegarnos al alma. Tales cualidades humanas, unidas en esta obra a muestras de magnífico lirismo, con un estilo suelto y con número razonable de cultismos justifica perfectamente el éxito constante de la obra.

JEAN TESTAS

---

[86] *La Devoción de la Cruz*, Jornada 1.ª

NOTICIA BIBLIOGRÁFICA

No existe manuscrito conocido de *Del Rey abajo, ninguno*. La obra aparece por primera vez en la parte 42 de *Comedias de diferentes autores* publicada en Zaragoza (1650) y atribuida a Calderón de la Barca. Éste, en la cuarta parte de sus *Comedias nuevas* señala una lista de 41 comedias que se le atribuyen sin ser suyas: "Hallé, ya adocenadas, ya sueltas, todas éstas que no son mías, impresas en mi nombre..." Entre ellas consta *Del Rey abajo, ninguno*.

Parece ser de la misma época un pliego suelto de 16 hojas foliadas, en 4.º, sin lugar ni año que sirvió de base a la edición de F. Ruiz Morcuende en *Clásicos Castellanos*. La Biblioteca Nacional de Madrid (BN) posee una impresión suelta sin lugar ni año que parece del siglo XVII. De la casa Antonio Sanz existe una edición de 1739 y una de 1749. La primera está en la BN y en la New York Public Library (NYPL); la segunda en BN, NYPL, la Biblioteca Nacional de París, la del Museo Británico de Londres, la de la Universidad de Friburgo (Alemania) y en la Universidad de North Carolina, Chapel Hill (North Carolina) (UNC). En 1776, J. y T. Orga publicaron la comedia en Valencia (BN), Boston Public Library (Massachusetts) (BPL) y Universidad de Toronto (Canadá). La edición valenciana de J. Gimeno, sin año, está en BN, BPL y UNC. En 1770?, F. Suriá y Burgada publicó la comedia en Barcelona (NYPL) y en 1839 Mompié en Valencia (BN). En la *B.A.E.* Juan Eugenio Hartzenbusch puso *Del rey abajo, ninguno* entre las comedias escogidas de Rojas, edición que está en BN, con otra de Sevilla de 1887.

En el siglo xx son de notar sobre todo las siguientes ediciones:

1. Edición de Edouard Lazet, París, Garnier 1910, colección E. Merimée.
2. En Madrid 1916, Biblioteca Universal, vol. 170.
3. En *Clásicos Castellanos,* Espasa Calpe, Madrid 1917, vol. 35, edición, prólogo y notas de F. Ruiz Morcuende.
4. *García del Castañar,* comedia en tres actos. Madrid, Imprenta particular de La Moda, S. A., 29 págs.
5. Madrid, Buenos Aires, México, Espasa Calpe 1940, 1943, 1946, 1956. 168 págs. + 3 hojas. *Colección Austral,* núm. 104.
6. Edición de Nils Flaten. New York, Prentice-Hall, 1929. 189 págs. Edición escolar.
7. *García del Castañar.* Edición de J. W. Parker. Cambridge, The University Press, 1935; XIII + 96 págs.
8. Edición, estudio y notas de Pablo Pou Fernández, Zaragoza, Ebro, 1944, 1950, 1954, 1958, 114 págs. + 2 hojas. *Biblioteca Clásica Ebro,* núm. 55.[1]

---

[1] Datos sacados de *Rojas Zorrilla,* Bibliografía Crítica de Raymond R. MacCurdy (*op. citada*). Como antaño cualquier estudioso de Rojas Zorrilla debía apoyarse en Cotarelo y Mori, hoy son imprescindibles los trabajos del insigne catedrático norteamericano.

BIBLIOGRAFÍA SELECTA

1. Anónimo: "Rojas Zorrilla y Tirso de Molina", en *Criterio*, 1.º de febrero de 1948, núm. 7.

2. Barrett, John Alfred: *Some aspects of the dramatics techniques of Francisco de Rojas Zorrilla*, Chapel Hill, 1938. Tesis M. A. Univ. North Carolina.

3. Boorman, John T.: *The dramatic technique of Rojas Zorrilla*, Leeds, 1950. Tesis, Leeds College.

4. Bravo Carbonell, J.: *El toledano Rojas*. Prólogo de Julián Besteiro. Toledo, Tip. Rafael Gómez Menor, 1908; XV + 125 págs.

5. Caldera, Ermanno: "Solitudine dei personaggi di Rojas", en *Studi Ispanici* (Studi di filologia moderna. Universitá degli Studi di Pisa), I, 1962, págs. 37-60.

6. Castro, Américo: "Obras mal atribuidas a Rojas Zorrilla", en *Revista de Filología Española* (Madrid), III, 1916, págs. 66-68.

7. Cotarelo y Mori, Emilio: *Don Francisco de Rojas Zorrilla, noticias biográficas y bibliográficas*, Madrid, Imp. de la Revista de Archivos, 1911, 311 págs.

8. Duis, Dorothy L.: *Versification in the comedias of Rojas Zorrilla*, Columbus, 1926. Tesis M. A. Univ. Ohio State.

9. Gouldson, Kathleen: "Religion and superstition in the plays of Rojas Zorrilla", en *Three Studies in Golden Age drama* (Spanish Golden Age poetry and drama). Liverpool Studies in Spanish Literature: second series. Ed. E. Allison Peers. Liverpool, Institute of Hispanic Studies, 1949, págs. 89-101.

10. Hartwell, Ruth Hatch: *The development of the comedia de figurón in the seventeenth and eighteenth centuries,* Albuquerque, New Mexico, 1952. Tesis M. A. University New Mexico.

11. *Heraldo Toledano*: Número extraordinario. Toledo, 24 de enero de 1908. 8 hojas y cubiertas con grabados. Número dedicado al tercer centenario del nacimiento de Rojas.

12. Hermenegildo, A.: en *Revista de Literatura* (Madrid) XIV, 1958, págs. 249-250.

13. Jeans, Fred W.: en *Hispanic Review* (Filadelfia) XXXI, 1961, págs. 156-159.

14. Jones, C. A.: en *Modern Language Review* (Cambridge), 1959, págs. 443-444.

15. *Juegos florales* celebrados en la ciudad de Toledo en la noche del 24 de enero de 1908, en honor del insigne toledano D. Francisco de Rojas Zorrilla. Toledo, 1908, 39 págs. con láminas. Contiene el discurso de don Alejandro Pidal sobre el teatro de Rojas.

16. Kennington, Nancy L.: *Rojas Zorrilla and the comedia de figurón,* Chapel Hill, North Carolina, 1962. Tesis M. A. University of North Carolina.

17. MacCurdy, Raymond R.: *Francisco de Rojas Zorrilla and the tragedy.* University of New México, publications in Language and Literature, number 13, Albuquerque, University of New Mexico Press, 1958, XIII + 161 págs.

18. ————: Prólogo a su edición de *Morir pensando matar* y *La vida en el ataúd,* Madrid, Espasa Calpe, 1961, Clásicos Castellanos, vol. 153.

19. ————: "Francisco de Rojas Zorrilla, bibliografía crítica", en *Cuadernos bibliográficos,* núm. XVIII, Madrid, C.S.I.C., 1965. De este estudio se ha sacado la mayoría de los datos que ofrecemos.

20. ————: "Francisco de Rojas Zorrilla". Twayne's world authors series (TWAS), New York 1968.

21. Mesonero Romanos, Ramón: "Teatro de Roxas", en *Semanario Pintoresco Español,* Madrid, XII, 1851, págs. 270-371.

22. ————: "Apuntes biográficos, bibliográficos y críticos de Don Francisco de Rojas Zorrilla", en su edición

de la *B.A.E.*, tomo LIV, *Comedias escogidas de Don Francisco de Rojas Zorrilla*, Madrid, 1952.

23. Milego, Julio: *El Teatro en Toledo durante los siglos XVI y XVII*, Valencia, Tip. de Manuel Pau, 1909, 200 págs.

24. Moraleda y Esteban, J.: *¿Existe algún dato biográfico que explique satisfactoriamente el cambio de apellidos de Rojas? Disquisición etimológica y genealógica*, Toledo 1908, 14 págs.

25. Ortigoza, Carlos: en *Symposium* (Syracuse), XIV, 1960, págs. 302-307.

26. Pardo Canalís, Enrique (Ed): "Ruiz de Alarcón —Rojas Zorrilla— Moreto", en *Revista de Ideas Estéticas*, XIX, 1963, págs. 259-285.

27. Parker, J. H.: en *Canadian Modern Language Review* (Cambridge), LI, 1959, pág. 49.

28. Parson, Maryavis: *The comic art of don Francisco de Rojas Zorrilla in his comedies of customs*, Albuquerque, 1952. Tesis M. A. University of New Mexico.

29. Perés, Ramón, D.: *Historia de la Literatura española e hispanoamericana*, Barcelona, Editorial Ramón Sopena, 1947, págs. 430-432.

30. Pérez Pastor, C.: *Bibliografía madrileña*. Madrid, Tipografía de los Huérfanos, 1907, vol. III, págs. 463-464.

31. Place, Edwin B.: "Notes on the grotesque: the *Comedia de figurón*", en *Publications of the Modern Language Association*, Nueva York, LIV, 1939, págs. 412-421.

32. Roaten, Darnell: en *Hispania*, Baltimore, XLI, 1958; págs. 547-548.

33. Ruiz Morcuende, F.: Prólogo a su edición del Teatro de Rojas (*Del Rey abajo, ninguno* y *Entre bobos anda el juego*). Quinta edición, Madrid, Espasa Calpe, 1956, *Clásicos Castellanos*, volumen 35.

34. Salomon, Noel: en *Bulletin Hispanique*, Burdeos, LXI, 1959, págs. 467-468.

35. Schmidt, Gisela: *Studien Zu den Komödien des Don Francisco de Rojas Zorrilla*, Colonia, 1959. Tesis Univ. Colonia, 200 págs.

36. Seda, Gladys A.: en *Revista Hispánica Moderna*, Nueva York, XXV, 1959, pág. 347.

37. Valbuena Prat, Ángel: *Historia de la Literatura española,* Editorial Gustavo Gili, Barcelona, Tomo II, 1946, págs. 287-302.

38. Viel-Castel L. de: "De l'honneur comme ressort dramatique dans les pièces de Calderón, Rojas, etc.", en *Revue des Deux Mondes,* Paris, XXV, 1841, págs. 397-421.

39. Weber, Edwin J.: en *Renaissance News,* Nueva York, XII, 1959, págs. 53-55.

40. White, Ralph E.: *La comedia de figurón of Rojas Zorrilla and Moreto,* Austin, 1949. Tesis Ph. D. Univ. Texas.

41. ———: "The social and economic background of the *comedia figurón*", (sic), en *The Centenary Review* (Shreveport, Louisiana), I, 1949, págs. 46-51.

42. Wilson, Margaret: en *Bulletin of Hispanic Studies* (Liverpool), XXXVII, 1960, págs. 46-47.

43. ———: Moire on "The *gracioso* takes the audience into his confidence: the case of Rojas Zorrilla", en *Bulletin of the Comediantes,* Madison, VIII, 1956, págs. 15-16.

44. ———: "The bathing nude in Golden Age drama", en *Romance Notes,* II, Chapel Holl, 1959, págs. 1-4.

BIBLIOGRAFÍA SELECTA SOBRE *Del Rey abajo, ninguno*

1. Barker, J. W.: *García del Castañar,* Edited with introduction —Cambridge, 1935.

2. Fucilla, Joseph G.: "Sobre las fuentes de *Del Rey abajo, ninguno*", en *Nueva Revista de Filología Hispánica,* México, V, 1951, págs. 381-393.

3. MacCurdy, Raymond R.: "Francisco de Rojas Zorrilla", en *Bulletin of the comediantes,* Madison, IX, 1957, págs. 7-9.

4. Ortigoza V., Carlos: "*Del Rey abajo, ninguno,* de Rojas, estudiada a través de sus móviles", en *Bulletin of the comediantes,* Madison, IX, 1957, págs. 1-4.

5. Reichenberger, Arnold G.: "Rojas Zorrilla's *Del Rey abajo, ninguno,* as a Spat-comedia", en *Stil-und Formprobleme in der Literatur,* Vorträge des VII. Kongresses der Internationalen Vereinigung für mo-

derne Sprachen und Literaturen in Heidelberg. Heidelberg s.a., págs. 194-200.

6. Testas, Jean: "A propos de la comedia *Del Rey abajo, ninguno*". En les *Langues Néo-Latines,* Paris,
n.º 172, Mayo de 1965.

7. Wardropper, Bruce W.: "The poetic world of Rojas
Zorrilla's *Del Rey abajo, ninguno*", en *The Romanic
Review,* Nueva York LII, 1961, págs. 161-172.

8. Whitby, William M.: "Appearance and reality in *Del
Rey abajo, ninguno*", en *Hispania* (Baltimore), XLII,
1959, págs. 186-191.

NOTA PREVIA

La presente edición sigue el pliego suelto que utilizó Ruiz Morcuende. Además se cotejó con el texto de Mesonero Romanos en *B.A.E.* Ambas versiones presentan pocas diferencias. Cuando hay una, hemos elegido la lección que nos pareció mejor, señalando la otra en nota. La ortografía sigue las normas modernas. Alguna que otra vez hemos modificado la puntuación para facilitar la comprensión; siempre lo hemos apuntado en nota.

J. T.

DEL REY ABAJO, NINGUNO

o

EL LABRADOR MÁS HONRADO, GARCÍA DEL CASTAÑAR

DEL REY ABAJO, NINGUNO
o
EL LABRADOR MÁS HONRADO, GARCÍA DEL CASTAÑAR

COMEDIA FAMOSA

DE

DON FRANCISCO DE ROJAS

Personas que hablan en ella: *

DON GARCÍA, *labrador*.	DON MENDO.
DOÑA BLANCA, *labradora*.	BRAS.
TERESA, *labradora*.	EL CONDE DE ORGAZ, *viejo*.
BELARDO, *viejo*.	TELLO, *criado*.
EL REY.	DOS CABALLEROS.
LA REINA.	MÚSICOS y LABRADORES.

---

* *Don García del Castañar*. Protagonista imaginado por el autor y colocado en un marco histórico auténtico. Es de notar, con el ritmo acertado del apellido en su conjunto, que García o Garcí era en Castilla nombre de larga tradición nobiliaria.
Doña Blanca. La albura simbólica del nombre permitirá el lirismo precioso de un amor poético.
Don Mendo. Según Covarrubias (*Tesoro de la Lengua castellana*, 1611) "Es nombre muy antiguo en España, antes que los romanos la señoreasen".
El Rey. Se trata de Alfonso XI de Castilla que sucedió a Fernando IV El Emplazado en 1310. Gracias a su victoria del Salado (con la ayuda del rey de Portugal y del rey de Aragón) y a la conquista de Algeciras ganó el sobrenombre de "El Vengador". Instituyó en 1311 la orden de caballería llamada de la Banda por la faja carmesí que cruzaba el pecho del hombro derecho al lado izquierdo. Cuando murió en 1350 dejaba un hijo legítimo, Pedro (el Cruel) y varios bastardos: Fadrique, perseguido y matado como un jabalí en las galerías del Alcázar de Sevilla, Fernando, Tello, Juan y Enrique de Trastamara. Se

66

JORNADA PRIMERA

~~~~~~

Salen el Rey con banda roja atravesada, leyendo un memorial, * *y Don Mendo.*

REY

Don Mendo, vuestra demanda
he visto.

MENDO

Decid querella;
que me hagáis, suplico en ella,
caballero de la Banda.

---

* "La petición que se da al juez o al señor para recuerdo de algún negocio" (Covarr.) (Según el diccionario de César Oudin: Placet ou factum destiné à remettre en mémoire une demande antérieure).

1 Tanto como *memorial, demanda, querella* e *información* son palabras forenses y propias de un documento.

2 *Decid*: esta segunda persona de plural (con *vos*) correspondía en el teatro clásico a un tratamiento intermedio entre el tuteo y Vuestra Merced.

4 El rey salió al escenario con la "banda roja atravesada", uniendo así el carácter monárquico de su persona a la faja distintiva de la nueva orden. Cuando consiga Don Mendo la insignia que el rey ilustra, una confusión se hará posible y lógica. Como siempre la Comedia utiliza el elemento visual de una manera modernísima y eficaz (cf. versos 378 y 403).

---

decía del Vengador que había matado a más de doscientos mil moros.

La Reina. Doña María de Portugal.

El Conde de Orgaz. Personaje histórico, muerto en 1323. San Agustín y San Esteban ayudaron a enterrarlo. El Greco representó la escena en su obra maestra "El entierro del Conde de Orgaz" terminada en 1578 (Iglesia de Santo Tomé en Toledo).

Dos meses ha que otra vez   5
esta merced he pedido;
diez años os he servido
en Palacio y otros diez
    en la guerra, que mandáis
que esto preceda primero   10
a quien fuere caballero
de la insignia que ilustráis.
    Hallo, señor, por mi cuenta,
que la puedo conseguir,
que, si no, fuera pedir   15
una merced para afrenta.
    Respondióme lo vería;
merezco vuestro favor,
y está en opinión, señor,
sin ella la sangre mía.   20

REY

Don Mendo, al Conde llamad.

MENDO

Y a mi ruego, ¿qué responde?

REY

Está bien; llamad al Conde.

MENDO

El Conde viene.

REY

Apartad.

Sale * *el Conde con un papel.*

20 Una negativa o una tardanza pone en duda la estimación
de su estirpe y su crédito. La importancia de la opinión
pública no se debe nunca olvidar cuando se trata de la honra.
Hoy tenemos la expresión "andar en opiniones".
* En el teatro francés, el punto de referencia de los movimientos
es el escenario (y no los bastidores). De donde indicaciones

MENDO

Pedí con satisfacción 25
la Banda, y no la pidiera
si primero no me hiciera
yo propio mi información.

REY

¿Qué hay de nuevo?

CONDE

En Algecira
temiendo están vuestra espada; 30
contra vos el de Granada
todo el África conspira.

REY

¿Hay dineros?

---

opuestas con el mismo sentido dinámico: "sale" sería "entra"
(al escenario), y "éntrase", o "vase" valdría tanto como
"sale" (del escenario).

28 Es la averiguación con que se acredita que en la ascendencia
y familia de un sujeto concurren las calidades de linaje que se
requieren, así como la aptitud y circunstancias necesarias para
un empleo u honor. Rojas (como Cervantes) tuvo ciertas dificultades en tal asunto (cf. Introducción p. 26).

29 La conquista de Algeciras es un hecho histórico: "Tercera vez
se puso cerco a Algecira, cerca de los años de 1342, por el
rey don Alonso el XI° hallándose con él don Gil de Albornoz,
arçobispo de Toledo y don Bartolomé, obispo de Cádiz, y
los maestres de Calatrava y Alcántara. Concurrieron Filipo rey
de Navarra y el conde de Fox y otros muchos socorros, que
con alargarse tanto el cerco, y no pudiendo sufrir las grandes
calores de aquella tierra en el verano, enfermaron y murieron
muchos y muchos se fueron. El conde de Fox de la enfermedad
que cobró allí fue a morir a Sevilla, y Filipo rey de Navarra
murió en Xerez; pero la perseverancia del rey fue tan grande
que salió con su empresa; dándose a partido los cercados el
26 de março del año de 1344" (Covarr.). La rendición de
Yusuf I tuvo enorme resonancia ya que Alfonso X (1277) y
Fernando IV (1309) habían sufrido dos sangrientos fracasos
anteriores.

32 Anticuado, con el sentido de convoca, reúne.

CONDE

            Reducido
en éste veréis, señor,
el donativo mayor   35
con que el reino os ha servido.

REY

    ¿La información cómo está
que os mandé hacer en secreto,
Conde, para cierto efeto
de don Mendo? ¿Hízo[se] ya?   40

CONDE

    Sí, señor.

REY

            ¿Cómo ha salido?
La verdad, ¿qué resultó?

CONDE

Que es tan bueno como yo.

REY

La gente con que ha servido
    mi reino, ¿será bastante   45
para aquesta empresa?

CONDE

            Freno
seréis, Alfonso el Onceno,
con él del moro arrogante.

---

44 Sentido posible de tropa militar. El rey vuelve pronto al
   asunto que le parece más importante y trata a don Mendo
   con cierta frialdad.

REY

Quiero ver, Conde de Orgaz,
a quién deba hacer merced   50
por sus servicios. Leed.

CONDE

El reino os corone en paz
    adonde el Genil felice
arenas de oro reparte.
Guárdeos Dios, cristiano Marte.   55
Leed, don Mendo.

MENDO

                Así dice:
"Lo que ofrecen los vasallos
para la empresa a que aspira
Vuestra Alteza, de Algecira:
En gente, plata y caballos,   60
    don Gil de Albornoz dará
diez mil hombres sustentados;
el de Orgaz, dos mil soldados;
el de Astorga llevará
    cuatro mil, y las ciudades   65
pagarán diez y seis mil;
con su gente hasta el Genil
irán las tres Hermandades
    de Castilla; el de Aguilar,
con mil caballos ligeros,   70
mil ducados en dineros;
García del Castañar
    dará para la jornada
cien quintales de cecina,

61 Personaje histórico importante. Fue nombrado cardenal por
   el papa Clemente IV en 1350. Murió en 1367, siendo legado
   en Roma, a los 57 años de edad (cf. n. 8.ª Jorn. 1.ª).
68 En tal fecha existían en Castilla las tres Hermandades de
   León, Toledo y Extremadura.
73 La palabra tiene aquí el sentido exacto que le da Covarrubias:
   "La expedición de algún ejército". Otras veces significa "todo

dos mil fanegas de harina   75
y cuatro mil de cebada;
   catorce cubas de vino,
tres hatos de sus ganados,
cien infantes alistados,
cien quintales de tocino;   80
   "y doy esta poquedad,
porque el año ha sido corto,
mas ofrézcole, si importo
también a Su Majestad,
   un rústico corazón   85
de un hombre de buena ley,
que, aunque no conoce al Rey,
conoce su obligación".

REY

¡Grande lealtad y riqueza!

MENDO

Castañar, humilde nombre.   90

REY

¿Dónde reside este hombre?

CONDE

Oiga quién es Vuestra Alteza:
   Cinco leguas de Toledo,
Corte vuestra y patria mía,
hay una dehesa, adonde   95

---

un camino que se haze, aunque sea de muchos días" (cf. verso
860 *con la jornada prolija* acepción próxima a la del inglés
"journey").
90 Según Madoz (*Dicc. geográfico*) y citado por F. Ruiz Morcuende (*Clásicos Castellanos*, vol. 35, p. 8): "Villa despoblada
en la provincia de Toledo, partido judicial de Orgaz, término
de Mazarambroz; en el día constituye una dehesa de propiedad
particular, con una hermosa casa llamada de Rojas...; hubo
un convento de Franciscos observantes, cuyo edificio está com-
pletamente arruinado".

este labrador habita,
que llaman el Castañar,
que con los montes confina,
que desta imperial España
son posesiones antiguas.   100
En ella un convento yace
al pie de una sierra fría,
del Caballero de Asís,
de Cristo efigie divina,
porque es tanta de Francisco   105
la humildad que le entroniza,
que aun a los pies de una sierra
sus edificios fabrica.
Un valle el término incluye
de castaños, y apellidan   110
del Castañar, por el valle,
al convento y a García,
adonde, como Abraham,
la caridad ejercita,
porque en las cosechas andan   115
el Cielo y él a porfía.
Junto del convento tiene
una casa, compartida
en tres partes: una es
de su rústica familia,   120
copioso albergue de fruto
de la vid y de la oliva,
tesoro donde se encierra
el grano de las espigas,
que es la abundancia tan grande   125
del trigo que Dios le envía,
que los pósitos de España

103 San Francisco de Asís (1182-1226) que nació en Asís, Umbría,
    y fundó la orden de los Hermanos Menores o Franciscos o
    Franciscanos. Celébrase el 4 de octubre.
108 Primer ejemplo de conceptismo que puede sorprendernos hoy.
127 "Instituto de carácter municipal y de muy antiguo origen, des-
    tinado a mantener acopio de granos, principalmente de trigo,
    y prestarlos en condiciones módicas a los labradores y vecinos
    durante los meses de menos abundancia" (D. R. A. décimo-
    séptima edición). Según el francés César Oudin los pósitos

son de sus trojes hormigas;
es la segunda un jardín,
cuyas flores, repartidas,   130
fragrantes estrellas son
de la tierra y del sol hijas,
tan varias y tan lucientes,
que parecen, cuando brillan,
que bajó la cuarta esfera   135
sus estrellas a esta quinta;
es un cuarto la tercera,
en forma de galería,
que de jaspes de San Pablo,
sobre tres arcos estriba;   140
ilústranle unos balcones
de verde y oro, y encima
del tejado de pizarras,
globos de esmeraldas finas;
en él vive con su esposa   145
Blanca, la más dulce vida
que vio el amor, compitiendo
sus bienes con sus delicias,
de quien no copio, señor,
la beldad que el sol envidia,   150
porque agora no conviene
a la ocasión ni a mis días;
baste deciros que, siendo
sus riquezas infinitas,
con su esposa comparadas,   155
es la menor de sus dichas.

---

son "Greniers municipaux destinés à céder du blé aux paysans
    nécessiteux".
131 *Fragante* se utiliza más, pero fragrante consta en el *D.R.A.*
135 La cuarta esfera (entre las once tradicionales) es el sol. Según
    el sistema de Ptolomeo, la tierra inmóvil y centro del universo
    estaba rodeada por esferas concéntricas. Es de notar el juego
    con *quinta* (finca o cigarral) *cuarto* (la galería) y *tercera*
    (la tercera parte de la casa).
139 Se trata del mármol de las canteras de San Pablo de los
    Montes cerca de Navahermosa (Toledo).
149 *Copiar*, en una acepción poética, significa "hacer descripción
    o pintura" (*D. R. A.*).

Es un hombre bien dispuesto,
que continuo se ejercita
en la caza, y tan valiente,
que vence a un toro en la lidia.   160
Jamás os ha visto el rostro
y huye de vos, porque afirma
que es sol el Rey y no tiene
para tantos rayos vista.
García del Castañar   165
es éste, y os certifica
mi fe que, si le lleváis
a la guerra de Algecira,
que llevéis a vuestro lado
una prudencia que os rija,   170
una verdad sin embozo,
una agudeza advertida,
un rico sin ambición,
un parecer sin porfía,
un valiente sin discurso   175
y un labrador sin malicia.

REY

¡Notable hombre!

CONDE

Os prometo
que en él las partes se incluyen,

---

160 Durante el reinado del Rey poeta la afición a los toros llegó
a un grado extraordinario. El mismo Felipe IV mató un
toro bravo de un arcabuzazo el 13 de octubre de 1631 durante
las fiestas organizadas para celebrar el segundo cumpleaños
del príncipe Baltasar Carlos. La hazaña fue solemnizada por
numerosas poesías ditirámbicas recopiladas en el *Anfiteatro
de Felipe el Grande*. Entre los poetas aduladores figuraba Rojas... y Lope y Calderón y Alarcón y Quevedo etc. (cf. p. 18).

164 Tanta modestia encubre algún misterio, es evidente (cf. versos
476 y 477). García utilizará la misma imagen al final de la
obra (v. 2.339).

178 Podemos recordar aquí lo que dijo Juan de Mariana (1535-
1624) a propósito de Jimena: "Ca estaba prendada de *las
partes* de Rodrigo" (*Historia general de España*).

que en Palacio constituyen
un caballero perfecto.   180

REY

¿No me ha visto?

CONDE

Eternamente.

REY

Pues yo, Conde, le he de ver:
dél experiencia he de hacer;
yo y don Mendo solamente
    y otros dos, hemos de ir;   185
pues es el camino breve,
la cetrería se lleve
por que podamos fingir
    que vamos de caza, que hoy
desta suerte le he de hablar,   190
y en llegando al Castañar,
ninguno dirá quién soy.
    ¿Qué os parece?

CONDE

La agudeza
a la ocasión corresponde.

REY

Prevenid caballos, Conde.   195

CONDE

Voy a serviros.

181 *Eternamente* con el sentido de *nunca*, posible aunque raro se-
    gún el *D.R.A.*
182 El enredo va a estribar en gran parte en tal ignorancia. En
    B.A.E. el verso 182 es el siguiente: "Pues yo le tengo de
    ver; ...".
187 Caza que se hacía con halcones y frecuente en los siglos xiv
    y xv entre príncipes y señores. Así empieza la *Tragicomedia
    de Calisto y Melibea* de Fernando de Rojas (1499).

Vase, y sale la Reina.

MENDO

Su Alteza.

REINA

¿Dónde, señor?

REY

A buscar
un tesoro sepultado
que el Conde ha manifestado.

REINA

¿Lejos?

REY

En el Castañar.   200

REINA

¿Volveréis?

REY

Luego que ensaye
en el crisol su metal.

REINA

Es la ausencia grave mal.

REY

Antes que los montes raye
el sol, volveré, señora,   205
a vivir la esfera mía.

206 Ingeniosidad amorosa algo artificial ya que Alfonso prefirió
a Doña Leonor de Guzmán. Los enamorados de la comedia
solían manejar un vocabulario astral cuando se trataba de

REINA

Noche es la ausencia.

REY

Vos, día.

REINA

Vos, mi sol.

REY

Y vos, mi aurora.

Vase la Reina.

MENDO

¿Qué decís a mi demanda?

REY

De vuestra nobleza estoy   210
satisfecho, y pondré hoy
en vuestro pecho esta banda;
   que si la doy por honor
a un hombre indigno, don Mendo,
será en su pecho remiendo   215
en tela de otro color;
   y al noble seré importuno
si a su desigual permito,
porque, si a todos admito,
no la estimará ninguno.   220

Vanse, y sale Don García, labrador.

---

expresar su pasión. En *La Verdad Sospechosa* de Alarcón,
por ejemplo, tales imágenes abundan. (Acto 1.°, Esc. III; Acto II, Esc. IX, etc...).

216 El apoyo del mismo rey fue necesario para que Rojas pudiera
ser caballero de Santiago. Las primeras informaciones resul-
taron dudosas y nuestro dramaturgo tuvo que presentar al
monarca una "demanda o querella" (cf. Introducción p. 26).
El verso 216 se modifica así en *B.A.E.*: "y mudará de color".

GARCÍA

Fábrica hermosa mía,
habitación de un infeliz dichoso,
oculto desde el día
que el castellano pueblo victorioso,
con lealtad oportuna,   225
al niño Alfonso coronó en la cuna.
    En ti vivo contento,
sin desear la Corte o su grandeza,
al ministerio atento
del campo, donde encubro mi nobleza,   230
en quien fui peregrino
y extraño huésped, y quedé vecino.
    En ti, de bienes rico,
vivo contento con mi amada esposa,
cubriendo su pellico   235
nobleza, aunque ignorada, generosa;
que, aunque su ser ignoro,
sé su virtud y su belleza adoro.
    En la casa vivía
de un labrador de Orgaz, prudente y cano;   240
vila, y dejóme un día,
como suele quedar en el verano,
del rayo a la violencia,
ceniza el cuerpo, sana la apariencia.

226 Fernando IV acababa de morir repentinamente (1310). Había
    mandado despeñar a los dos hermanos Carvajales sin permi-
    tirles la defensa. Éstos le citaron para el tribunal de la justi-
    cia divina, señalando el plazo de treinta días. En la última
    mañana, los criados encontraron muerto al real "Emplazado".
    Poco antes, el verso 222 en *Clás. Cast.* es: "habitación de un
    su feliz dichoso".
232 *Peregrino* y *extraño* con el primer sentido que les señala
    el *D. R. A.*, respectivamente: "aplícase al que anda por
    tierras extrañas" y "de nación, familia o profesión distinta
    de la que se nombra o sobrentiende". En cuanto al empleo de
    quien, era frecuente en la época con antecedente que no fuera
    persona.
236 Aquella grosera zamarra de pastor ("manteau rustique en peau
    de mouton", como lo traduce César Oudin) no sólo encubre
    una belleza deslumbradora sino que oculta una "mujer ilustre,
    de clara estirpe" (Covarr.): la hermosura, la más encumbrada
    nobleza y el misterio se unen en Blanca.

        Mi mal consulté al Conde,   245
    y asegurando que en mi esposa bella
    sangre ilustre se esconde,
    caséme amante y me ilustré con ella,
    que acudí, como es justo,
    primero a la opinión y luego al gusto.   250
        Vivo en feliz estado,
    aunque no sé quién es y ella lo ignora,
    secreto reservado
    al Conde, que la estima y que la adora;
    ni jamás ha sabido   255
    que nació noble el que eligió marido
        mi Blanca, esposa amada,
    que divertida entre sencilla gente,
    de su jardín traslada
    puros jazmines a su blanca frente.   260
    Mas ya todo me avisa
    que sale Blanca, pues que brota risa.

Salen Doña Blanca, labradora, con flores; Bras, Teresa
    y Belardo, viejo, y Músicos pastores.

MÚSICOS

    Ésta es blanca como el sol,
        que la nieve no.
    Ésta es hermosa y lozana,   265
        como el sol,
    que parece a la mañana,
        como el sol,
    que aquestos campos alegra,
        como el sol,   270
    con quien es la nieve negra
    y del almendro la flor.

250 A pesar del flechazo fulminante que le produjo la vista de
    Blanca, don García afirma que el Amor debe sujetarse a la
    noble honra. Rara vez en la comedia —y en la sociedad
    de la época— lograba Amor atropellar por todos los incon-
    venientes tradicionales. El ejemplo de la Condesa de Belflor,
    la Diana del *Perro del Hortelano* de Lope, que se casa con
    su secretario Teodoro, es casi único.

Ésta es blanca como el sol,
que la nieve no.

GARCÍA

Esposa, Blanca querida,   275
injustos son tus rigores
si por dar vida a las flores
me quitas a mí la vida.

BLANCA

Mal daré vida a las flores
cuando pisarlas suceda,   280
pues mi vida ausente queda
adonde animas amores;
    porque así quiero, García,
sabiendo cuánto me quieres,
que si tu vida perdieres,   285
puedas vivir con la mía.

GARCÍA

No habrá merced que sea mucha,
Blanca, ni grande favor
si le mides con mi amor.

BLANCA

¿Tanto me quieres?

GARCÍA

            Escucha: 290
No quiere el segador el aura fría,
ni por abril el agua mis sembrados,

281 Me parece más claro el sentido suprimiendo las comas después
de *queda* y de *animas*. Así lo hace Mesonero Romanos en la
B.A.E. Morcuende, en *Clásicos Castellanos* (*op. cit.*), adopta
la lección con comas.
290 Magnífico lirismo de atmósfera campesina y pastoril. Es tema
acostumbrado en la época pero aquí aparece una sencillez y
una sinceridad conmovedoras, semejante al celebérrimo principio de *Peribáñez* de Lope me parece tal diálogo, y no es
poco encarecimiento.

ni yerba en mi dehesa mis ganados,
ni los pastores la estación umbría,
   ni el enfermo la alegre luz del día,   295
la noche los gañanes fatigados,
blandas corrientes los amenos prados,
más que te quiero, dulce esposa mía;
   que si hasta hoy su amor desde el primero
hombre juntaran, cuando así te ofreces,   300
en un sujeto a todos los prefiero;
   y aunque sé, Blanca, que mi fe agradeces,
y no puedo querer más que te quiero,
aún no te quiero como tú mereces.

BLANCA

   No quieren más las flores al rocío,   305
que en los fragantes vasos el sol bebe;
las arboledas la deshecha nieve,
que es cima de cristal y después río;
   el índice de piedra al norte frío,
el caminante al iris cuando llueve,   310
la obscura noche la traición aleve,
más que te quiero, dulce esposo mío;
   porque es mi amor tan grande, que a tu
como a cosa divina, construyera   [nombre,
aras donde adorarle, y no te asombre,   315
   porque si el ser de Dios no conociera,
dejara de adorarte como hombre,
y por Dios te adorara y te tuviera.

---

301 *Preferir* es aventajar, exceder. Sentido anticuado.
309 La piedra imán que indica el Norte. El fenómeno de la atrac-
ción parecía tan extraordinario que el rey Felipe II, poco
dado a aceptar brujerías, tenía una en su mesa de trabajo.
318 La adoración de la criatura era especie de herejía. Blanca
no llega a tanto, pero sí Calisto de *La Celestina* cuando
contesta a la pregunta de su criado Sempronio: "¿Tú no
eres cristiano?" "¿Yo? Melibeo soy, y a Melibea adoro; y
en Melibea creo, y a Melibea amo". (*Tragicomedia de Calisto
y Melibea*, Acto primero).

BRAS

Pues están Blanca y García,
como palomos de bien,   320
resquiebrémonos también,
porque desde ellotri día
  tu carilla me engarrucha.

TERESA

Y a mí tu talle, mi Bras.

BRAS

¿Mas que te quiero yo más?   325

TERESA

¿Mas que no?

BRAS

        Teresa, escucha:
  Desde que te vi, Teresa,
en el arroyo a pracer,
ayudándote a torcer
los manteles de la mesa,   330
  y torcidos y lavados,
nos dijo cierto estodiante:
"Así a un pobre pleiteante
suelen dejar los letrados",
  eres de mí tan querida   335
como lo es de un logrero
la vida de un caballero
que dio un juro de por vida.

---

321 El Gracioso y la criada mantienen los tradicionales amoríos
     paralelos y cómicos con el idioma que les corresponde.
323 *Engarruchar* es aplicar el tormento de la garrucha. Consistía
     tal tormento en colgar al reo de una cuerda que pasaba por
     una polea o garrucha y dejarle caer a plomo de manera que
     se dislocara los miembros. En francés era la "estrapade".
338 "Especie de pensión perpetua que se concedía sobre las rentas
     públicas, ya por merced graciosa, ya por recompensa de ser-
     vicios, o bien por vía de réditos de un capital recibido"

Sale Tello.

TELLO

Envidie, señor García,
vuestra vida el más dichoso.   340
Sólo en vos reina el reposo.

BLANCA

¿Qué hay, Tello?

TELLO

                        ¡Oh, señora mía!
¡Oh, Blanca hermosa, de donde
proceden cuantos jazmines
dan fragancia a los jardines!   345
Vuestras manos besa el Conde.

BLANCA

¿Cómo está el Conde?

TELLO

                        Señora,
a vuestro servicio está.

GARCÍA

Pues, Tello, ¿qué hay por acá?

TELLO

Escuchad aparte agora.   350
   Hoy, con toda diligencia,
me mandó que éste os dejase
y respuesta no esperase.
Con esto, dadme licencia.

(*D.R.A.*). En el Vejamen leído el 21 de febrero de 1637 por
Fr. de Rojas, exclama Don Fr. Zapata: "¿Quién me quiere
jugar un *juro de por vida* sobre mi cabeza, de dos mil ducados de renta?".

GARCÍA

¿No descansaréis?

TELLO

Por vos   355
me quedara hasta otro día.
Que no han de verme, García,
los que vienen cerca. Adiós...

Vase.

GARCÍA

El sobre escrito es a mí.
¿Mas que me riñe porque   360
corto el donativo fue
que hice al Rey? Mas dice así:
"El Rey, señor don García,
que su ofrecimiento vio,
admirado preguntó   365
quién era vueseñoría;
    díjele que un labrador
desengañado y discreto,
y a examinar va en secreto
su prudencia y su valor.   370
    No se dé por entendido,
no diga quién es al Rey,
porque, aunque estime su ley,
fue de su padre ofendido,
    y sabe cuánto le enoja   375
quien su memoria despierta.

---

357 Según las ediciones tenemos *quedaré* (Tello acepta primero y
cambia de opinión al ver al rey) o *quedara.* En *B.A.E.*:
Por vos // me quedara hasta otro día; // mas no han de..."
En *Clás. Cast.*: "Por vos // me quedara. Hasta otro día, //
que no han de...".

360 García utiliza la misma fórmula que Teresa y Bras en los
versos 325 y 326. Otro ejemplo en *El Burlador de Sevilla*
de Tirso de Molina (Jorn. 3.ª): Batricio *"Mas que* ha venido
a ser alguna desdicha mía". El sentido es: "apuesto a que"
"no puede ser sino que...".

Quede adiós, y el Rey, advierta
que es el de la banda roja.
El Conde de Orgaz, su amigo."
Rey Alfonso, si supieras   380
quién soy, ¡cómo previnieras
contra mi sangre el castigo
de un difunto padre!

BLANCA

Esposo,
silencio y poco reposo
indicios de triste son.   385
¿Qué tienes?

GARCÍA

Mándame, Blanca,
en éste el Conde, que hospede
a unos señores.

BLANCA

Bien puede,
pues tiene esta casa franca.

BRAS

De cuatro rayos con crines,   390
generación española,
de unos cometas con cola,
o aves, y al fin rocines,
que andan bien y vuelan mal,
cuatro bizarros señores,   395

---

382 Falta el primer verso de esta redondilla que haga consonancia
    con el *son* de "indicios de triste son".
395 Bras desempeña su papel de gracioso, pero el autor parece
    burlarse con humorismo de ciertas imágenes conceptuosas.
    Los estudiantes franceses no deben equivocarse en el sentido
    de *bizarro* que significa, "generoso, lucido, espléndido" (*D.R.A.*)
    (cf. Ricardo León en *Casta de hidalgos*: "Era don Juan Ma-
    nuel de Ceballos y Escalante un hidalgo a la manera de los
    antiguos de Castilla.... de busto cervantesco, cabeza *bizarra*,
    de melena rebelde").

que parecen cazadores,
se apean en el portal.

GARCÍA

No te des por entendida
de que sabemos que vienen.

TERESA

¡Qué lindos talles que tienen!   400

BRAS

¡Pardiez, que es gente llocida!

*Salen el Rey sin banda y Don Mendo con banda y
otros dos Cazadores.*

REY

Guárdeos Dios, los labradores.

GARCÍA

(Ya veo al de la divisa.)
Caballeros de alta guisa,
Dios os dé bienes y honores.   405
    ¿Qué mandáis?

MENDO

                    ¿Quién es aquí
García del Castañar?

GARCÍA

Yo soy, a vuestro mandar.

MENDO

Galán sois.

---

404 Sentido anticuado: "vale manera, modo, calidad, estado, como
hombres de alta guisa" (Covarr.).

GARCÍA

Dios me hizo ansí.

BRAS

Mayoral de sus porqueros   410
só, y porque mucho valgo,
miren si los mando en algo
en mi oficio, caballeros,
    que lo haré de mala gana,
como verán por la obra.   415

GARCÍA

¡Quita, bestia!

BRAS

El bestia sobra.

REY

¡Qué simplicidad tan sana!
    Guárdeos Dios.

GARCÍA

                    Vuestra persona,
aunque vuestro nombre ignoro,
me aficiona.

BRAS

                    Es como un oro;   420
a mí también me inficiona.

420 El verbo (tanto como el sustantivo *afición*) tenía un sentido más
fuerte que hoy. A veces, llegaba hasta *enamorarse*. *Es como
un oro*: "Ponderación que explica la hermosura, aseo y limpieza
de alguna persona o cosa" (*Dicc. de Aut.*). Tal opinión dirigiéndose al monarca resulta divertida, sobre todo con el error
de *inficiona* que es "corromper", "contagiar".

MENDO

Llegamos al Castañar
volando un cuervo, supimos
de vuestra casa, y venimos
a verla y a descansar   425
    un rato, mientras que pasa
el sol de aqueste horizonte.

GARCÍA

Para labrador de un monte
grande juzgaréis mi casa:
    y aunque un albergue pequeño   425
para tal gente será,
sus defectos suplirá
la voluntad de su dueño.

MENDO

    ¿Nos conocéis?

GARCÍA

                              No, en verdad,
que nunca de aquí salimos.   435

MENDO

En la Cámara servimos
los cuatro a Su Majestad,
    para serviros, García.
¿Quién es esta labradora?

GARCÍA

Mi mujer.

MENDO

              Gocéis, señora,   440
tan honrada compañía

mil años, y el cielo os dé
más hijos que vuestras manos
arrojen al campo granos.

BLANCA

No serán pocos, a fe.   445

MENDO

¿Cómo es vuestro nombre?

BLANCA

                        Blanca.

MENDO

Con vuestra beldad conviene.

BLANCA

No puede serlo quien tiene
la cara a los aires franca.

REY

Yo también, Blanca, deseo   450
que veáis siglos prolijos
los dos, y de vuestros hijos
veáis más nietos que veo
árboles en vuestra tierra,
siendo a vuestra sucesión   455
breve para habitación
cuanto descubre esa sierra.

BRAS

No digan más desatinos.
¡Qué poco en hablar reparan!

447 La tez de las hermosas del siglo XVII debía tener la blancura
de la leche. Cuando Dios no otorgaba un cutis níveo, usaban
las damas azogue sublimado para blanquear el rostro.

Si todo el campo probaran,   460
¿dónde han de estar mis cochinos?

GARCÍA

Rústico entretenimiento
será para vos mi gente;
pues la ocasión lo consiente,
recibid sin cumplimiento   465
    algún regalo en mi casa.
Tú disponlo, Blanca mía.

MENDO

(Llámala fuego, García,
pues el corazón me abrasa.)

REY

    Tan hidalga voluntad   470
es admitirla nobleza.

GARCÍA

Con esta misma llaneza
sirviera a Su Majestad,
    que aunque no le he visto, intento
servirle con afición.   475

REY

¿Para no verle hay razón?

GARCÍA

¡Oh, señor, ese es gran cuento!
    Dejadle para otro día.
Tú, Blanca, Bras y Teresa,
id a prevenir la mesa   480
con alguna niñería.

---

466 Comida o bebida delicada y exquisita (*D.R.A.*). En *Clás. Cast.*
en el verso 467 hay: "Tú disponte..." y en 469: "...el corazón
me pasa".

Vanse.

REY

Pues yo sé que el rey Alfonso
tiene noticia de vos.

MENDO

Testigos somos los dos.

GARCÍA

¿El Rey, de un villano intonso?   485

REY

Y tanto el servicio admira
que hicisteis a su Corona,
ofreciendo ir en persona
a la guerra de Algecira,
    que si la Corte seguís,   490
os ha de dar a su lado
el lugar más envidiado
de Palacio.

GARCÍA

                ¿Qué decís?
Más precio entre aquellos cerros
salir a la primer luz,   495
prevenido el arcabuz,
y que levanten mis perros
    una banda de perdices,
y codicioso en la empresa,

---

485 *Intonso*, además del sentido usual: "que no tiene el pelo
cortado" significa también "ignorante, inculto, rústico" (*D.
R. A.*).
496 Es interesante recordar que Covarrubias en el artículo *arcabuz*
afirma: "La primera vez que en España se usaron los tiros
de pólvora con pelotas de hierro fue en el cerco de Algezira,
quando el rey don Alonso el onzeno la ganó de los moros,
año de mil y trezientos y quarenta y cuatro, que los de dentro
tiravan a los nuestros".

seguirlas por la dehesa   500
con esperanzas felices
   de verlas caer al suelo,
y cuando son a los ojos
pardas nubes con pies rojos,
batir sus alas al vuelo,   505
   y derribar esparcidas
tres o cuatro, y anhelando
mirar mis perros buscando
las que cayeron heridas,
   con mi voz que los provoca,   510
y traerlas, que palpitan,
a mis manos, que las quitan
con su gusto de su boca;
   levantarlas, ver por dónde
entró entre la pluma el plomo,   515
volverme a mi casa, como
suele de la guerra el Conde
   a Toledo, vencedor;
pelarlas dentro en mi casa,
perdigarlas en la brasa,   520
y puestas al asador
   con seis dedos de un pernil,
que a cuatro vueltas o tres
pastilla de lumbre es,
y canela del Brasil;   525
   y entregarlas a Teresa,
que con vinagre y aceite
y pimienta, sin afeite,
las pone en mi limpia mesa,

---

505 *Batir* es de la misma familia que batería y significa golpear
   con fuerza y echar abajo.
519 Es inútil recordar que pelar es "desplumar" a quienes tantas
   veces han "pelado la pava".
520 *Perdigar*: "poner sobre las brasas la perdiz u otra ave o
   vianda antes de asarla" (*Dicc. de Aut.*). Según C. Oudin es
   "flamber la volaille avant de la barder".
524 Para perfumar las estancias. También se utilizaban contra
   el mal olor del aliento, pastillas de alcorza, llamadas "pastillas
   de olor y boca".

donde, en servicio de Dios,   530
una yo y otra mi esposa
nos comemos, que no hay cosa
como a dos perdices, dos;
    y levantando una presa,
dársela a Teresa, más   535
porque tenga envidia Bras
que por dársela a Teresa,
    y arrojar a mis sabuesos
el esqueleto roído,
y oír por tono el crujido   540
de los dientes y los huesos,
    y en el cristal transparente
brindar, y, con mano franca,
hacer la razón mi Blanca
con el cristal de una fuente;   545
    levantar la mesa, dando
gracias a quien nos envía
el sustento cada día,
varias cosas platicando.
    Que aqueso es el Castañar,   550
que en más estimo, señor,
que cuanta hacienda y honor
los Reyes me puedan dar.

REY

    Pues, ¿cómo al Rey ofrecéis
ir en persona a la guerra   555
si amáis tanto vuestra tierra?

GARCÍA

Perdonad, no lo entendéis.

---

534 *Presa*: "Se toma algunas veces por la tajada, pedazo o porción
    pequeña de alguna cosa comestible" (*Dicc. de Aut.*) ("Petit
    morceau d'un met" según C. Oudin).
540 *Tono* vale tanto como tonada y música: Así lo domuestra
    la réplica de Crespo: "Yo respondo siempre —en *el tono* y la
    letra— que me hablan" (Calderón: *El Alcalde de Zalamea*,
    esc. V. Jornada 2.ª).

El Rey es de un hombre honrado,
en necesidad sabida,
de la hacienda y de la vida   560
acreedor privilegiado;
   agora, con pecho ardiente,
se parte al Andalucía
para extirpar la herejía,
sin dineros y sin gente;   565
   así, le envié a ofrecer
mi vida, sin ambición,
por cumplir mi obligación
y porque me ha menester;
   que, como hacienda debida,   570
al Rey le ofrecí de nuevo
esta vida que le debo,
sin esperar que la pida.

REY

   Pues, concluida la guerra,
¿no os quedaréis en Palacio?   575

GARCÍA

Vívese aquí más de espacio,
es más segura esta tierra.

REY

   Posible es que os ofrezca
el Rey lugar soberano.

GARCÍA

¿Y es bien que le dé a un villano   580
el lugar que otro merezca?

REY

   Elegir el Rey amigo
es distributiva ley.
Bien puede.

GARCÍA

       Aunque pueda, el Rey
no lo acabará conmigo,   585
   que es peligrosa amistad
y sé que no me conviene,
que a quien ama es el que tiene
más poca seguridad;
   que por acá siempre he oído   590
que vive más arriesgado
el hombre del Rey amado
que quien es aborrecido,
   porque el uno se confía
y el otro se guarda dél.   595
Tuve yo un padre muy fiel,
que muchas veces decía,
   dándome buenos consejos,
que tenía certidumbre
que era el Rey como la lumbre: 600
que calentaba de lejos
   y desde cerca quemaba.

REY

También dicen más de dos
que suele hacer, como Dios,
del lodo que se pisaba,   605
   un hombre ilustrado, a quien
le venere el más bizarro.

GARCÍA

Muchos le han hecho de barro
y le han deshecho también.

REY

   Sería el hombre imperfecto.   610

---

609 La filosofía de García le hubiera sido muy útil a Villamediana,
por ejemplo, o, más tarde, al Conde-Duque.

El tema del rey cazador que aparece en *Del rey abajo, ninguno,* tuvo su correspondencia pictórica en cuadros de Velázquez, contemporáneo de Rojas Zorrilla. *Felipe IV.* Velázquez

Museo del Prado. Madrid

Escena campesina idealizada, gesto y actitud, semejante
a otras correspondientes del teatro español en el Siglo
de Oro. *Rebeca y Eliecer* (Detalle). Murillo

Museo del Prado. Madrid

GARCÍA

Sea imperfecto o no sea,
el Rey, a quien no desea,
¿qué puede darle, en efeto?

REY

Daráos premios.

GARCÍA

Y castigos.

REY

Daráos gobierno.

GARCÍA

Y cuidados.   615

REY

Daráos bienes.

GARCÍA

Envidiados.

REY

Daráos favor.

GARCÍA

Y enemigos.
Y no os tenéis que cansar,
que yo sé no me conviene

---

613 *En efeto* con el sentido de verdaderamente, concretamente.
En *La Verdad Sospechosa*, de Alarcón, dice don Beltrán: "Si
se muriera *en efeto*, // no lo llevara tan mal // como que su
falta sea // mentir". (Acto 1.º, escena 2.ª). Cf. también los
versos 1189 y 1190 (jornada 2.ª). García ostenta en tal diálogo
una agudeza llena de autoridad.

ni daré por cuanto tiene   620
un dedo del Castañar.
    Esto sin que un punto ofenda
a sus reales resplandores;
mas lo que importa, señores,
es prevenir la merienda.   625

Vase.

REY

    Poco el Conde lo encarece:
más es de lo que pensaba.

MENDO

La casa es bella.

REY

                    Extremada.
¿Cuál lo mejor os parece?

MENDO

    Si ha de decir la fe mía   630
la verdad a Vuestra Alteza,
me parece la belleza
de la mujer de García.

REY

Es hermosa.

MENDO

                ¡Es celestial;
es ángel de nieve pura!   635

REY

¿Ése es amor?

---

628 En la redondilla, *Extremada* sólo hace asonancia con *pensaba.*

MENDO

La hermosura
¿a quién le parece mal?

REY

Cubríos, Mendo. ¿Qué hacéis?
Que quiero en la soledad
deponer la majestad.   640

MENDO

Mucho, Alfonso, recogéis
    vuestros rayos, satisfecho
que sois por fe venerado,
tanto, que os habéis quitado
la roja banda del pecho   645
    para encubriros y dar
aliento nuevo a mis bríos.

REY

No nos conozcan, cubríos,
que importa disimular.

MENDO

Rico hombre soy, y de hoy más,   650
Grande es bien que por vos quede.
Pues ya lo dije, no puede
volver mi palabra atrás.

Sale Doña Blanca.

651 El título de Grande sobrepuja a los demás títulos de conde,
duque y marqués. El Grande tiene derecho para cubrirse ante
el Rey y se puede sentar en el banco de Grandes. Mendo,
con el sombrero calado por orden de Alfonso, se considera
Grande *ipso facto*. En cuanto al título de Rico hombre, Covarrubias recuerda que "la ley décima, tit. 25, p. 4 dize assí:
"Ricos homes, según costumbre de España son llamados los
que en otras tierras dizen condes o barones".

BLANCA

Entrad, si queréis, señores,
merendar, que ya os espera   655
como una primavera,
la mesa llena de flores.

MENDO

¿Y qué tenéis que nos dar?

BLANCA

¿Para qué saberlo quieren?
Comerán lo que les dieren,   660
pues que no lo han de pagar,
    o quedaránse en ayunas;
mas nunca faltan, señores,
en casa de labradores,
queso, arrope y aceitunas,   665
    y blanco pan les prometo,
que amasamos yo y Teresa,
que pan blanco y limpia mesa,
    abren a un muerto las ganas;
uvas de un majuelo mío,   670
y en blanca miel de rocío,
berenjenas toledanas;
    perdices en escabeche,
y de un jabalí, aunque fea,
una cabeza en jalea,   675
por que toda se aproveche;
    cocido en vino, un jamón,
y un chorizo que provoque
a que con el vino aloque,
hagan todos la razón;   680

---

668 Falta el cuarto verso de la redondilla que pueda hacer con-
    sonancia con el 666.
679 *Vino aloque*: "Especie de vino cuyo color es rojo subido,
    que se inclina al tinto. Haile de dos suertes: natural y artifi-
    cial. El natural es el que se hace de uva morada; el arti-
    ficial, el que es compuesto de vino tinto y blanco". (*Dicc.
    de Aut.*).

dos ánades y cecinas
cuantas los montes ofrecen,
cuyas hebras me parecen
deshojadas clavellinas,
    que cuando vienen a estar   685
cada una de por sí,
como seda carmesí,
se pueden al torno hilar.

REY

Vamos, Blanca.

BLANCA

           Hidalgos, ea,
merienden, y buena pro.   690

Vanse el Rey y los dos Cazadores.

MENDO

Labradora, ¿quién te vio
que amante no te desea?

BLANCA

Venid y callad, señor.

MENDO

Cuanto previenes trocara
a un plato que sazonara   695
en tu voluntad amor.

BLANCA

    Pues decidme, cortesano,
el que trae la banda roja:
¿qué en mi casa se os antoja
para guisarle?

---

690 *Merienden, y... buen provecho.* Al rematar en almoneda algún
objeto el pregonero solía exclamar: "¡que buena pro le haga!".
También se dice: "hombre de pro".

MENDO

Tu mano.   700

BLANCA

Una mano, en almodrote,
de vaca os sabrá más bien;
guarde Dios mi mano, amén,
no se os antoje en jigote,
que harán, si la tienen gana,   705
y no hay quien los replique,
que se pique y se repique
la mano de una villana,
para que un señor la coma.

MENDO

La voluntad la sazone   710
para mis labios.

700 *Mano* se llama, en las reses de carnicería, cualquiera de los
cuatro pies después de cortados. "En los banquetes populares
del Quijote hay empanada de conejo, ternera adobada, albon-
diguillas, manjar blanco, *salpicón de vaca* con cebolla, *manos
cocidas* y olla podrida..." (José Deleito y Piñuela: *La mujer, la
casa y la moda*, p. 116).

700 *Almodrote*: "Especie de guisado o salsa con que se sazonan
las berenjenas, que se hace y compone de aceite, ajos, queso
y otras cosas". *Dicc. de Aut.*

704 *Jigote* o Gigote: "Guisado de carne *picada* rehogada en man-
teca" (*D. R. A.*). También podía emplearse en sentido figurado
y humorístico como lo hace Luis Vélez de Guevara en *El
Diablo Cojuelo*: "don Cleofás... hizo con el instrumento astro-
nómico *jigote* del vaso".

709 A propósito de este diálogo escribe Julián Besteiro: "¡Qué
consistencia moral la de aquella criatura! Para virtuosa escucha demasiado a don Mendo, para liviana emplea sobrados
remilgos". (Prólogo a *El Toledano Rojas* de Bravo Carbonell
J., Toledo 1908). No me parece acertada tal opinión (cf. introducción, p. 30). Es posible que la frase "que se pique
la mano de una villana", además del sentido culinario de
"cortar en trozos menudos" implique también alguna amenaza
de bofetón: la agudeza de Blanca permite tal hipótesis.

710 *La voluntad* tiene valor sentimental próximo al de alma o
corazón. Así lo demuestra Lucrecia de *La Verdad Sospechosa*
cuando dice: "...No tarde en mi *voluntad* / hallaran sus
ansias puerto". (Acto 3.º, escena 1.ª). César Oudin traduce la
palabra por: "Désir d'être agréable; parfois, cœur et áme".

BLANCA

          Perdone;
bien está San Pedro en Roma.
    Y si no lo habéis sabido,
sabed, señor, en mi trato,
que sólo sirve ese plato   715
al gusto de mi marido,
    y me lo paga muy bien,
sin lisonjas ni rodeos.

MENDO

Yo, con mi estado y deseos,
te lo pagaré también.   720

BLANCA

    En mejor mercadería
gastad los intentos vanos,
que no compraran gitanos
a la mujer de García,
    que es muy ruda y montaraz.   725

MENDO

Y bella como una flor.

BLANCA

¿Que de dónde soy, señor?
Para serviros, de Orgaz.

MENDO

    Que eres del Cielo sospecho,
y en el rigor, de la sierra.   730

BLANCA

¿Son bobas las de mi tierra?
Merendad, y buen provecho.

---

731 Las mujeres de la región de Toledo tenían fama de ser tan
hermosas como discretas. La misma Isabel la Católica, paran-
gón de mujeres, decía: "Sólo en Toledo me encuentro tonta".

MENDO

No me entiendes, Blanca mía.

BLANCA

Bien entiendo vuestra trova,
que no es del todo boba   735
la de Orgaz, por vida mía.

MENDO

Pues por tus ojos amados
que has de oírme, la de Orgaz.

BLANCA

Tengamos la fiesta en paz;
entrad ya, que están sentados,   740
y tened más cortesía.

MENDO

Tú, menos riguridad.

BLANCA

Si no queréis, aguardad.
¡Ah, marido! ¡Hola, García!

Sale Don García.

GARCÍA

¿Qué queréis, ojos divinos?   745

BLANCA

Haced al señor entrar,
que no quiere hasta acabar
un cuento de Calaínos.

748 *Calaínos* es un personaje conocido de uno de los romances de
las crónicas caballerescas de Carlomagno y los doce Pares
de Francia. Se hizo proverbial la expresión "las coplas de
Calaínos" para designar algún discurso impertinente. Calaínos

GARCÍA

(¡Si el cuento fuera de amor *(Aparte.)*
del Rey, que Blanca me dice,   750
para ser siempre infelice!
Mas si viene a darme honor
  Alfonso, no puede ser;
cuando no de mi linaje,
se me ha pegado del traje   755
la malicia y proceder.
  Sin duda no quiere entrar
por no estar con sus criados
en una mesa sentados;
quiéroselo suplicar   760
  de manera que no entienda
que le conozco.) Señor,
entrad y haréisme favor,
y alcanzad de la merienda
  un bocado, que os le dan   765
con voluntad y sin paga,
y mejor provecho os haga
que no el bocado de Adán.

Sale Bras y saca algo de comer y un jarro cubierto.

BRAS

Un caballero me envía
a decir cómo os espera.   770

MENDO

¿Cómo, Blanca, eres tan fiera?

---

era un moro enamorado de la Infanta de Sevilla. Ésta le
pidió la cabeza de tres de los doce Pares de Francia: Roldán,
Oliveros y Reinaldos de Montalván. Calaínos venció primero a
Valdovinos, perdonándole la vida, pero Roldán para salvar
a su joven sobrino mató al infeliz enamorado musulmán:
—"¿Cómo tú fuiste osado / de en toda Francia parar, / ni al
buen viejo emperador, / ni a los doce desafiar? / —La cabeza
de los hombros / luego se la fue a cortar...".

BLANCA

Así me quiere García.

GARCÍA

¿Es el cuento?

BLANCA

Proceder
en él quiere pertinaz;
mas déjala a la de Orgaz,   775
que ella sabrá responder.

Vase.

BRAS

Todos están en la mesa;
quiero, a solas y sentado,
mamarme lo que he arrugado,
sin que me viese Teresa.   780
¡Qué bien que se satisface
un hombre sin compañía!
Bebed, Bras, por vida mía.

Dentro.

Bebed vos.

Dentro.

¿Yo? Que me place.

REY

Caballero, ya declina   785
el sol al mar Oceano.

---

779 Vocabulario de germanía. El verso significa: "comerme lo
que he robado". Se parece a Sosia el criado de Anfitrión,
también bebedor oculto.
786 *Oceano* en vez de *océano* para permitir la consonancia con
temprano, última palabra del primer verso de la redondilla.

Salen todos.

GARCÍA

Comed más, que aún es temprano;
ensanchad bien la petrina.

REY

Quieren estos caballeros
un ave, en la tierra rasa,   790
volarla.

GARCÍA

Pues a mi casa
os volved.

REY

Obedeceros
no es posible.

GARCÍA

Cama blanda
ofrezco a todos, señores,
y con almohadas de flores,   795
sábanas nuevas de Holanda.

REY

Vuestro gusto fuera ley,
García, que no podemos,
que desde mañana hacemos
los cuatro semana al Rey,   800

---

788 *Petrina* o *pretina*: es el cinturón con hebilla o la parte de
las prendas de vestir que se ciñe a la cintura. El Buscón,
cínico, afirmaba: "Cada día traía la *pretina* llena de jarras
de monjas; que les pedía para beber, y me venía con ellas;
introduje que no diesen nada sin prenda primero..." Y
Juliana, de *Rinconete y Cortadillo*, se queja mostrando los
cardenales de sus piernas: "...entre los olivares me desnudó,
y con la *petrina*, sin escusar ni recoger los hierros... me dio
tantos azotes, que me dejó por muerta".

y es fuerza estar en Palacio.
Blanca, adiós; adiós, García.

GARCÍA

El Cielo os guarde.

REY

Otro día
hablaremos más despacio.

Vase.

MENDO

Labradora, hermosa mía,   805
ten de mi dolor memoria.

BLANCA

Caballero, aquesa historia
se ha de tratar con García.

GARCÍA

¿Qué decís?

MENDO

Que dé a los dos
el Cielo vida y contento.   810

BLANCA

Adiós, señor, el del cuento.

MENDO

(¡Muerto voy!) Adiós.

GARCÍA

Adiós.
Y tú, bella como el Cielo,
ven al jardín, que convida

con dulce paz a mi vida,   815
sin consumirla el anhelo
   del pretendiente que aguarda
el mal seguro favor,
la sequedad del señor,
ni la provisión que tarda,   820
   ni la esperanza que yerra,
ni la ambición arrogante
del que, armado de diamante,
busca al contrario en la guerra,
   ni por los mares el Norte;   825
que envidia pudiera dar
a cuantos del Castañar
van esta tarde a la Corte.
   Mas por tus divinos ojos,
adorada Blanca mía,   830
que es hoy el primero día
que he tropezado en enojos.

BLANCA

¿De qué son tus descontentos?

GARCÍA

Del cuento del cortesano.

BLANCA

Vamos al jardín, hermano,   835
que esos son cuentos de cuentos.

---

817 El *pretendiente* era un tipo social del siglo XVII. Juan de
Zabaleta le dedica un capítulo entero entre el glotón y el
agente de negocios: "Amanece el día de fiesta, y amanece
el *pretendiente* pensando razones nuevas que convenzan a los
consejeros para que le despachen". (*El día de fiesta por la
mañana*, cap. XIV).
820 *Provisión*: "Los autos acordados y determinaciones que salen
de los consejos reales o chancillerías". (Covarr.).
836 *Cuento de cuentos*: "Se llama también una relación o noticia
en que se mezclan otras varias que hacen perder el hilo de
la principal, y se suele aplicar también a algunos negocios
muy difíciles de poner en planta por lo enredados que están".
(*Dicc. de Aut.*).

JORNADA SEGUNDA

~~~~~~

Salen la Reina y el Conde.

REINA

Vuestra extraña relación
me ha enternecido, y prometo
que he de alcanzar, con efeto,
para los dos el perdón;   840
  porque de Blanca y García
me ha encarecido Su Alteza,
en el uno, la belleza,
y en otro, la gallardía.
  Y pues que los dos se unieron,   845
con sucesos tan prolijos,
como los padres, los hijos
con una estrella nacieron.

CONDE

Del Conde nadie concuerda
bien en la conspiración;   850
salió al fin de la prisión,
y don Sancho de la Cerda

---

848 El mismo destino, un *signo único* para ambos. Es una rápida
referencia a la astrología, pero es también la afirmación de
una fuerza de amor que el romanticismo utilizará con frenesí.
Como botón de muestra nos bastará el relato de Marsilla a
la volcánica sultana Zulima "Al son de la voz creadora //
Isabel y yo existimos, // y ambos los ojos abrimos // en
un día y *una* hora (Hartzenbusch, *Los Amantes de Teruel*,
acto I, escena I). Contra la fuerza del sino no pueden nada
don Mendo ni Zulima.

852 Nos dice lo que sigue Covarrubias: "El apellido de la Cerda
es ilustrísimo, y le tomaron los descendientes de un Infante,

huyó con Blanca, que era
de dos años, a ocasión
que era yo contra Aragón   855
general de la frontera,
    donde el Cerda, con su hija,
se pretendió asegurar,
y en un pequeño lugar,
con la jornada prolija,   860
    adolesció de tal suerte,
que aunque le acudí en secreto,
en dos días, en efeto,
cobró el tributo la muerte.
Hícele dar sepultura   865
con silencio y, apiadado,
mandé que a Orgaz un soldado
la inocente criatura
    llevase, y un labrador
la crió, hasta que un día   870
la casaron con García
mis consejos y su amor,
    que quiso, sin duda alguna,
el Cielo que ambos se viesen,
y de los padres tuviesen   875
junta la sangre y fortuna.

REINA

Yo os prometo de alcanzar
el perdón.

---

que nació con un lunar en la espalda, de donde le colgava un
cabello largo y gruesso, como cerda. Éste se llamó don Fernando de la Cerda, hijo legítimo del rey don Alonso el
Sabio y de la reyna doña Violante". Alfonso X el Sabio
(1252-1284) fue destronado por su hijo el violento Sancho IV
el Bravo, decisión que no aceptaron de buen grado los descendientes de Fernando de la Cerda.
872 Aunque el posesivo puede interpretarse de diferentes modos,
el movimiento general de la frase permite preferir "el amor
que Blanca experimentaba". Que los sentimientos de la futura
esposa tengan importancia es significativo de la manera de
Rojas y de su conocido feminismo.

Sale Bras.

BRAS

Buscandolé,
¡pardiobre!, que me colé,
como fraile, sin llamar.   880
   Topéle. Su sonsería
me dé las manos y pies.

CONDE

Bien venido, Bras.

REINA

¿Quién es?

CONDE

Un criado de García.

REINA

Llegad.

BRAS

¡Qué brava hermosura!   885
Ésta sí que el ojo abonda;
pero si vos sois la Conda,
tendréis muy mala ventura.

CONDE

¿Y qué hay por allá, mancebo?

---

881 Equivocación del gracioso en Palacio. En vez de su señoría
   utiliza una palabra muy similar a *sosería.*
886 Satisface, contenta. El piropo dirigido a la Reina no puede
   ser más sincero y divertido para el público.
888 Alude Bras a "la ventura de la fea". *La conda,* o condesa,
   o reina, tiene tanta soberana hermosura que debe de tener...
   muy mala ventura por vía de compensación. Históricamente,
   tanto María de Portugal (a quien Alfonso XI prefirió doña
   Leonor de Guzmán) como Isabel de Borbón (suplantada en
   el amor de Felipe IV por la Calderona y otras muchas) tu-

BRAS

Como al Castañar no van   890
estafetas de Milán,
no he sabido qué hay de nuevo.
    Y por acá, ¿qué hay de guerra?

CONDE

Juntando dineros voy.

BRAS

De buena gana los doy
por gozar en paz mi tierra;
    porque el corazón me ensancha,
cuando duermo más seguro
que en Flandes, detrás de un muro,
en un carro de la Mancha.   900

REINA

Escribe bien, breve y grave.

CONDE

Es sabio.

---

vieron bastantes disgustos domésticos. Cf. también el verso
1136.

891 *Estafeta* se llamaba el correo ordinario cuando iba por la
posta. Hablando de las gradas de San Felipe, uno de los
mentideros más concurridos en tiempos de Rojas, escribe Rodríguez Marín (citado por José Deleito y Piñuela en *Sólo
Madrid es Corte*, p. 211): "Casi diariamente había estafeta
de alguna parte. Acudían los soldados a recoger sus cartas, y
¡allí era ella! Aunque las tales epístolas fueran familiares,
o de impacientes acreedores, sus destinatarios, llevándolas *in-
continenti* al mentidero (próximo a la casa de correos), figu-
raban leer en ellas, rodeados de boquiabiertos oyentes, cosazas
que, al par que los llenaran de asombro, pusieran muy de re-
lieve la importancia del sujeto...". Para que el Conde de Orgaz
pudiera entender lo de *estafetas de Milán* en 1342, se nece-
sitara otra intervención de San Esteban y San Agustín.

899 Otro asunto dramático del reinado y cuyas noticias debían
esperarse con ansia. La lucha contra los flamencos se había
reanudado al terminar la tregua de doce años firmada en
1609. En 1625, el marqués de Espinola logró apoderarse de
Breda, hazaña inmortalizada por Velázquez. Pero Felipe IV
hubo de admitir la autonomía de las Provincias Unidas en el
tratado de Munster (1648).

REINA

A mi parecer,
más es que serlo tener
quien en Palacio le alabe.

Sale Don Mendo.

MENDO

Su Alteza espera.

REINA

Muy bien   905
la banda está en vuestro pecho.

Vase.

MENDO

Por vos, Su Alteza me ha hecho
aquesta honra.

CONDE

También
tuve parte en esta acción.

, MENDO

Vos me disteis esta banda,   910
que mía fue la demanda
y vuestra la información.
Ayer con Su Alteza fui,
y diome esta insignia, Conde,
yendo al Castañar. (Adonde *(Aparte.)*   915
libre fui y otro volví)

Sale Tello.

TELLO

El Rey llama.

CONDE

Espera, Bras.

BRAS

El billorete leed.

CONDE

Este hombre entretened
mientras vuelvo.

BRAS

Estoy de más;   920
desempechadme temprano,
que el Palacio y los olores
se hicieron para señores,
no para un tosco villano.

CONDE

Ya vuelvo.

Vanse el Conde y Tello.

MENDO

(Conocer quiero *(Aparte.)*   925
este hombre.)

BRAS

¿No hay habrar?
¿Cómo fue en el Castañar
ayer tarde, caballero?

921 *Empechar* es antigua palabra con el sentido de *estorbar*. *Des-
empechar* es lo contrario: libertar, aliviar. Es posible también
que Bras, con su manía de estropear los vocablos, quiera decir:
"despachadme" como en el verso 1049 lo expresa.
922 Las estancias se solían aromatizar con ámbar, algalia o al-
mizcle.
926 *Habrar* en vez de hablar, como después (verso 949) *diabros*
por diablos. La *l* y la *r* son consonantes fonéticamente ve-
cinas.

MENDO

(Daré a tus aras mil veces *(Aparte.)*
holocaustos, dios de amor,   930
pues en este labrador
remedio a mi mal ofreces.
    ¡Ay, Blanca! ¡Con qué de enojos
me tienes! ¡Con qué pesar!
¡Nunca fuera al Castañar!   935
¡Nunca te vieran mis ojos!
    ¡Pluguiera a Dios que, primero
que fuera Alfonso a tu tierra,
muerte me diera en la guerra
el corvo africano acero!   940
    ¡Pluguiera a Dios, labrador,
que al áspid fiero y hermoso
que sirves, y cauteloso
fue causa de mi dolor,
    sirviera yo, y mis estados   945
te diera, la renta mía,
que por ver a Blanca un día,
fuera a guardar sus ganados!)

BRAS

    ¿Qué diabros tiene, señor,
que salta, brinca y recula?   950
Sin duda la tarantula
le ha picado, o tiene amor.

MENDO

(Amor, pues Norte me das, *(Aparte.)*
déste tengo de saber
si a Blanca la podré ver.)
¿Cómo te llamas?

951 *Tarantula* en vez de tarántula. La pregunta de Bras resulta
muy divertida. En cuanto a don Mendo parece sinceramente
enamorado ¿Podría servirle de disculpa?

BRAS

¿Yo? Bras.

MENDO

¿De dónde eres?

BRAS

De la villa
de Ajofrín, si sirvo en algo.

MENDO

¿Y eres muy gentil hidalgo?

BRAS

De los Brases de Castilla.   960

MENDO

Ya lo sé.

BRAS

Decís verdad,
que só antiguo, aunque no rico,
pues vengo de un villancico
del día de Navidad.

MENDO

Buen talle tienes.

BRAS

Bizarro;   965
mire qué pie tan perfeto.

---

958 *Ajofrin*: Pueblo de la provincia de Toledo y del partido judicial de Orgaz.
964 En boca del Gracioso se burla Rojas del afán general de
nobleza, con estirpe que se remonta hasta la época de Cristo.
No escapó el dramaturgo a tal defecto contemporáneo.

¿Monda nísperos el peto?
Y estos ojuelos, ¿son barro?

MENDO

¿Y eres muy discreto, Bras?

BRAS

En eso soy extremado,   970
porque cualquiera cuitado
presumo que sabe más.

MENDO

¿Quieres servirme en la Corte,
y verás cuánto te precio?

BRAS

Caballero, aunque só necio,   975
razonamientos acorte,
    y si algo quiere mandarme,
acabe ya de parillo.

MENDO

Toma, Bras, este bolsillo.

967 *No mondar níspero*s: "no ser ajeno a la materia de que se
    trata, o no estar ocioso en determinada ocasión". (*D.R.A.*).
    No ser barro: "no ser despreciable, tener valor". (*D.R.A.*). De
    donde, pero de un modo mucho más divertido: "¿y este pecho
    es ajeno a tanta hermosura? ¿Y estos ojuelos son despre-
    ciables?
968 El *discreto* es el hombre cuerdo y de buen seso como lo
    demuestra la obra de Gracián *El Discreto* (1646) que des-
    cribe los veinte y cinco *realces* necesarios para llegar a la
    perfección en la Corte y la Sociedad culta. Ver también el ver-
    so 1032.
' 978 *Parillo*: parirlo. Asimilación frecuente de la *r* final del infi-
    nitivo a la *l* inicial del pronombre enclítico. Son numerosísimos
    los ejemplos: "Pero, viendo que da en favorecelle // tanto
    vuesa merced, aun no me atrevo // a miralle, tocalle ni
    ofendelle" (Cervantes, *El rufián dichoso*).

BRAS

Mas, ¡par Dios! ¿Quiere burlarme?   980
A ver, acerque la mano.

MENDO

Escudos son.

BRAS

          Yo lo creo;
mas por no engañarme, veo
si está por de dentro vano;
    dinero es, y de ello infiero   985
que algo pretende que haga,
porque el hablar bien se paga.

MENDO

Sólo que me digas quiero
    si ver podré a tu señora.

BRAS

¿Para malo o para bueno?   990

MENDO

Para decirla que peno
y que el corazón la adora.

BRAS

    ¡Lástima os tengo, así viva,
por lo que tengo en el pecho,
y aunque rudo, amor me ha hecho   995
el mío como una criba!

---

991 *Penar* es palabra con sentido fuerte que "se toma, ordina-
riamente por agonizar" (Covarr.). Los condenados *penan* en el
infierno y Quevedo; en *Las Zahurdas de Plutón* nos dice:
"... Y si queréis reír, ved tras ellos los barberillos cono
penan. Don Quijote dice a Sancho (1.ª p., cap. XXV): "...si
vuelves presto de adonde pienso enviarte, presto se acabará
mi *pena*, y presto comenzará mi *gloria*. Don Mendo muere
de amor y sufre los tormentos de la pasión.

Yo os quiero dar una traza
que de provecho será:
aquestas noches se va
mi amo García a caza   1000
    de jabalíes; vestida
le aguarda sin prevención,
y si entráis por un balcón,
la hallaréis medio dormida,
    porque hasta el alba le espera;   1005
y esto muchas veces pasa
a quien deja hermosa en casa
y busca en otra una fiera.

MENDO

¿Me engañas?

BRAS

                    Cosa es tan cierta,
que de noche, en ocasiones,   1010
suelo entrar por los balcones
por no llamar a la puerta
    ni que Teresa me abra;
y por la honda que deja
puesta Belardo en la reja,   1015
trepando voy como cabra,
    y la hallo sin embarazo,
sola, esperando a García,
porque le aguarda hasta el día
recostada sobre el brazo.   1020

1010 El sentido moderno de la expresión es "cuando se presenta
el caso" pero en el Siglo de Oro significaba también "en caso
de peligro", "en caso de apuro". Así lo demuestra el mismo
Cervantes: "..., Y poniéndose en *ocasiones* y peligros donde,
acabándolos, cobrase eterno nombre y fama". (*Don Quijote*,
1.ª p. cap. I). Cf. verso 1047 y 1135.
1014 Es la honda peculiar de los pastores que, certeros, tiraban
piedras a las ovejas retozonas.

El Cardenal-Infante Don Fernando de Austria
Velázquez

El entierro del Conde de Orgaz (Detalle). El Greco

Iglesia de Santo Tomé. Toledo

MENDO

En ti el amor me promete
remedio.

BRAS

Pues esto haga.

MENDO

Yo te ofrezco mayor paga.

BRAS

(Esto no es ser alcagüete.) *(Aparte.)*

MENDO

(Blanca, esta noche he de entrar *(Ap.)*   1025
a verte, a fe de español,
que, para llegar al sol,
las nubes se han de escalar.)

Vase, y salen el Rey y el Conde.

REY

El hombre es tal, que prometo
que con vuestra aprobación   1030
he de llevarle a esta acción
y ennoblecerle.

CONDE

Es discreto
y valiente; en él están,
sin duda, resplandecientes
las virtudes convenientes   1035
para hacerle capitán,
que yo sé que suplirá
la falta de la experiencia
su valor y su prudencia.

REY

Mi gente lo acetará,   1040
  pues vuestro valor le abona,
y sabe de vuestra ley
que, sin méritos, al Rey
no le proponéis persona;
  traedle mañana, Conde.   1045

Vase.

CONDE

Yo sé que aunque os acuitéis,
que en la ocasión publiquéis
la sangre que en vos se esconde.

BRAS

  Despachadme, pues, que no,
señor, otra cosa espero.   1050

CONDE

Que se recibió el dinero
que al donativo ofreció,
  le decid, Bras, a García,
y podeos ir con esto,
que yo le veré muy presto   1055
o responderé otro día.

Vase.

BRAS

  No llevo cosa que importe;
sobre tardanza prolija,
largo parto y parir hija,
propio despacho de Corte.   1060

1042 La lealtad y la fidelidad "Alguna vez fidelidad, como el criado
    que tiene *ley* con su amo" (Covarr.).
1056 Solía significar *mañana* (cf. verso 2436).
1059 También se decía: "Mala noche y parir hija" mucho trabajo
    y poco resultado. El nacimiento de una hija, sobre todo en

Vase, y sale Don García, de cazador, con un puñal
y un arcabuz.

GARCÍA

Bosques míos, frondosos,
de día alegres cuanto tenebrosos
mientras baña Morfeo
la noche con las aguas de Leteo,
hasta que sale de Faetón la esposa   1065
coronada de plumas y de rosa;
en vosotros dotrina
halla sobre quien Marte predomina,
disponiendo sangriento
a mayores contiendas, el aliento;   1070
porque furor influye
la caza, que a la guerra sostituye.
Yo soy el uno rayo
feroz de vuestras fieras, que me ensayo
para ser, con la sangre que me inspira,   1075

---

familia real y cuando no existía un vástago varón, causaba
desengaño y amargura. Felipe IV tuvo primero cuatro hijas
de Isabel de Borbón antes de que naciera el príncipe Baltasar
Carlos (1629): María Margarita (el padre tenía 16 años en
1621 y la madre 18), Margarita María (1623), María Eugenia
(1625) e Isabel (1627). Después nacieron Mariana Antonia (1635)
y María Teresa (1638), la única en no desaparecer en la
cuna y que se casó con Luis XIV de Francia en 1660
(cf. Deleito y Piñuela, *El Rey se divierte*).

1063 *Morfeo* era el dios del sueño en la mitología griega y romana;
Leteo: uno de los ríos del infierno cuyas aguas proporciona-
ban el olvido a las sombras infernales; *esposa de Faetón*: la
luna. La mitología estaba muy de moda en la época y gracias
a tramoyistas geniales podían representarse ante el rey grandiosas escenas de leyendas. Aquí el lirismo de García se
hace cósmico.

1067 *Dotrina* o doctrina con el sentido de enseñanza, de ciencia y
sabiduría. La caza, escuela de la guerra, era tema trillado.
En *Clás. Cast.* Morcuende escribe: "en vosotros dotrina allá
sobre quien... a mayores contiendas el aliento". En *B.A.E.*
no hay coma entre contiendas y el aliento.

1073 Me parece preferible suprimir (entre *uno* y *rayo*) la coma que
consta en la edición suelta utilizada por Morcuende. El verso
1073 sería pues: "Yo soy *el uno* rayo..." o sea el rayo único
y sin par como dice de Dios Cipriano en el principio de *El
mágico prodigioso* de Calderón: "Dios es una bondad suma, //
una esencia, *una* substancia". En *B.A.E.*: "Yo soy el vivo rayo".

rayo del Castañar en Algecira;
criado en vuestras grutas y campañas,
Alcides español de estas montañas,
que contra seis tiranos
clava es cualquiera dedo de mis manos,   1080
siendo por mí esta vera
pródiga en carnes, abundante en cera;
vengador de sus robos,
Parca común de osos y de lobos,
que por mí el cabritillo y simple oveja   1085
del montañés pirata no se queja,
y cuando embiste airado
a devorar el tímido ganado,
si me arrojo al combate,
ocioso el can en la palestra late.   1090
Que durmiendo entre flores,
en mi valor fiados los pastores
cuando abre el sol sus ojos,
desperezados ya los miembros flojos,
cuando al ganado asisto,   1095
cuando al cosario embisto,
pisan difunta la voraz caterva
más lobos sus abarcas que no yerba.
¿Qué colmenar copioso
no demuele defensas contra el oso,   1100
fabricando sin muros
dulce y blanco licor en nichos puros?

1078 Es el primer nombre de Hércules. Alude después Rojas a los
seis "tiranos" vencidos por el héroe en sus doce trabajos:
ahogó al león de Nemea; mató a la hidra de Lerna; domó
al toro de Creta; mató a Diomedes; venció a las Amazonas
y cortó las tres cabezas de Gerión.

1079 Según el *D.R.A.* es un "palo toscamente labrado, como de un
metro de largo, que va aumentando de diámetro desde la em-
puñadura hasta el extremo opuesto". Se representa muchas
veces a Hércules apoyado en su clava, y todos tradujimos
cuando párvulos: "pirata pugnavit clava".

1084 *Parca*: "Cada una de las tres deidades hermanas, Cloto, Lá-
quesis y Átropos, con figura de viejas, de las cuales la primera hilaba, la segunda devanaba y la tercera cortaba el hilo
de la vida del hombre. Figurado y poético: La muerte"
(*D.R.A.*).

1096 Hoy sería *corsario*. Es ladrón, pirata y robador.

Que por esto han tenido,
gracias al plomo a tiempo compelido,
en sus cotos amenos,   1105
un enemigo las abejas menos.
Que cuando el sol acaba,
y en el postrero parasismo estaba,
a dos colmenas que robado había,
las caló dentro de una fuente fría,   1110
ahogando en sus cristales
las abejas que obraron sus panales,
para engullir segura
la miel que mixturó en el agua pura,
y dejó, bien que turbia, su corriente,   1115
el agua dulce desta clara fuente.
Y esta noche, bajando
un jabalí aqueste arroyo blando
y cristalino cebo
con la luz que mendiga Cintia a Febo,   1120
le miré cara a cara,
haciéndose lugar entre la jara,
despejando la senda sus cuchillos
de marfil o de acero sus colmillos;
pero a una bala presta,   1125
la luz condujo a penetrar la testa,
oyendo el valle, a un tiempo repetidos,
de la pólvora el eco y los bramidos.
Los dos serán trofeos
pendientes en mis puertas, aunque feos,   1130

1116 *Dulce* tiene aquí el primer sentido que le da la Real Acade-
    mia: "que causa cierta sensación suave al paladar, como la
    miel, el azúcar, etc.". No se trata del "agua dulce" opuesta
    al "agua salobre".
1119 Del latín *Cibus*: alimento, sustento y manjar. Es la comida
    que sirve para engordar o atraer los animales.
1120 *Cintia* es la Luna, nacida en el monte Cintio de la isla de
    Delos. Febo, claro, es el nombre de Apolo que se toma poé-
    ticamente por el Sol. Así lo emplea, entre otros muchos, Gón-
    gora en su *Polifemo y Galatea*: "...cual otro no vio *Febo* más
    robusto // del perezoso Volga al Indo adusto".
1124 Es una especie de quiasma imperfecto.

después que Blanca, con su breve planta,
su cerviz pise, y por ventura tanta,
dirán: y aun en la muerte
tiene el cadáver de un dichoso suerte,
que en la ocasión más dura,   1135
a las fieras no falta la ventura.
Mas el rumor me avisa
que un jabalí desciende; con gran prisa
vuelve huyendo; habrá oído
algún rumor distante su sentido,   1140
porque en distancia larga
oye calar al arcabuz la carga,
y esparcidas las puntas
que sobre el cerro acumulaba juntas,
si oye la bala o menear la cuerda,   1145
es ala, cuando huye, cada cerda.

Salen Don Mendo y un criado con una escala.

MENDO

¿Para esto, amor tirano,
del cerco toledano

1131 Siempre hicieron alarde las españolas de sus piececitos dimi-
nutos, burlándose de las enormes extremidades de las inglesas,
por ejemplo.
1144 Es el pescuezo, el espinazo o lomo de un animal. Como lo
traduce al francés C. Oudin: "La croupe et le dessus du dos
de quelque animal que ce soit, l'espine du dos".
1145 La mecha de cáñamo que se encendía para disparar con los
antiguos arcabuces.
1146 El monólogo de García es un ejemplo perfecto de égloga venatoria. El himno dedicado a la caza no carece de cultismo.
Quizás aparezca también la influencia de Séneca, cuya importancia en el teatro europeo del siglo XVII fue puesta de realce
por el coloquio de Royaumond cerca de París en 1962. Hablando de la *Lucrecia* de Rojas escribe Raymond R. MacCurdy:
"El lema de la Fortuna, la defensa de la virtud y de la
sencillez de las costumbres, la crítica de la vanidad y de
la ostentación, el tono moralizador y sentencioso, todos rasgos
de senequismo, hacen notable a la comedia por la utilización
artística que de ellos se hace" (*La Tragédie neosenéquienne
en Espagne*, C.N.R.S., Paris, 1964. p. 85). Además, el principio de *Fedra* de Séneca es un poema a la caza en boca de
Hipólito: "Yd y cercad, hijos de Cécrope, las selvas umbrías,
etcétera".

al monte me trajiste,
para perderme en su maleza triste? 1150
Mas ¿qué esperar podía
ciego que a un ciego le eligió por guía?
Una escala previne, con intento,
Blanca, de penetrar tu firmamento,
y lo mismo emprendiera, 1155
si fueras diosa en la tonante esfera,
no montañesa ruda
sin honor, sin esposo que te acuda,
que en este loco abismo
intentara lo mismo 1160
si fueras, Blanca bella,
como naciste humana, pura estrella,
bien que a la tierra bien que al Cielo sumo,
bajara en polvo y ascendiera en humo.

GARCÍA

Llegó primero al animal valiente 1165
que a mi sentido el ruido de esta gente.

MENDO

En esta luna de octubre
suelen salir cazadores
a esperar los jabalíes.
Quiero llamar: ¡Ah, del monte! 1170

CRIADO

¡Hola! ¡Hao!

GARCÍA

¡Pesia sus vidas!
¿Qué buscan? ¿De qué dan voces?

1158 El honor era privativo de los nobles. En *Peribáñez y el Co-*
mendador de Ocaña, de Lope, exclama el rey Enrique III de
Castilla: "...¡Cosa extraña! // ¡Que un labrador tan humilde // estime tanto su fama! // (Jorn. 3.ª, esc. XXVII).
1171 Se enfada el cazador García al oír las voces que atruenan la
selva. Su carácter aparece colérico y apasionado.

MENDO

El sitio del Castañar
¿está lejos?

GARCÍA

En dos trotes
se pueden poner en él.   1175

MENDO

Pasábamos a los montes
y el camino hemos perdido.

GARCÍA

Aqueste arroyuelo corre
al camino.

MENDO

¿Qué hora es?

GARCÍA

Poco menos de las doce.   1180

MENDO

¿De dónde sois?

GARCÍA

¡Del infierno!
Id en buena hora, señores,
no me espantéis más la caza,
que me enojaré. ¡Pardiobre!

MENDO

La luna, ¿hasta cuándo dura?   1185

1184 *Pardiobre* es sinónimo de ¡pardiez! o ¡por Dios! Ya empleado por Blas.

GARCÍA

Hasta que se acaba.

MENDO

¡Oye
lo que es villano en el campo!

GARCÍA

Lo que un señor en la Corte.

MENDO

Y en efeto, ¿hay dónde errar?

GARCÍA

Y en efeto, ¿no se acogen?   1190

MENDO

Terrible sois.

GARCÍA

Mal sabéis
lo que es estorbar a un hombre
en ocasión semejante.

MENDO

¿Quién sois?

GARCÍA

Rayo destos montes:
García del Castañar,   1195
que nunca niego mi nombre.

MENDO

(Amor, pues estás piadoso, *(Aparte.)*
deténle, por que no estorbe
mis deseos y en su casa
mis esperanzas malogre,   1200
y para que a Blanca vea,

dame tus alas veloces,
para que más presto llegue.)
Quedaos con Dios.

Vanse Don Mendo y el criado.

GARCÍA

Buenas noches.

Bizarra ocasión perdí;   1205
imposible es que la cobre.
Quiero volverme a mi casa
por el atajo del monte,
y pues ya me voy, oíd
de grutas partos feroces: 1210
salid y bajad al valle,
vivid en paz esta noche,
que vuestro mayor opuesto
a su casa se va, adonde
dormirá, no en duras peñas,   1215
sino en blandos algodones,
y depuesta la fiereza,
tan trocadas mis acciones,
en los brazos de mi esposa
verá el Argos de la noche   1220

1220 Bien conocida leyenda la de Argos, hijo de Arestor. Tenía un
centenar de ojos y cuando dormía, sólo cincuenta se cerraban.
Juno, celosa con razón de su donjuanesco esposo, le encargó
vigilara la magnífica vaquita que poco antes era la graciosa
doncella Io. Pero el flautista Mercurio, cómplice del olímpico
adúltero, logró dormir al clarividente vigilante cortándole después la cabeza. Con tantos ojos inservibles Juno adornó la cola
del pavo real que se hizo al ave predilecta de la diosa engañada. Bella imagen la de un cielo nocturno donde parpadean
tantos luceros oculares.
    En el poema de Góngora, el mismo Polifemo clama: "Del
Júpiter soy hijo de las ondas...". Su madre era la ninfa
Toasa. Y el autor de *Soledades* emplea la misma imagen que
Rojas aunque al revés: "Éste que, de Neptuno hijo fiero, //
de un ojo ilustra el orbe de su frente, // émulo casi del mayor lucero;" (*Polifemo y Galatea*, Góngora). Se sabe que en
este Pirineo humano latía un corazón tierno que se enamoró
de la grácil Galatea. Ésta, prefiriendo la gallardía más natural de Acís, el monstruoso cíclope, aplastó a la pareja con un
risco portentoso.

y el Polifemo del día,
si las observan feroces
y tiernas, que en este pecho
se ocultan dos corazones:
el uno de blanda cera,   1225
el otro de duro bronce;
el blando para mi casa,
el duro para estos montes.

Vase, y salen Doña Blanca y Teresa con una bujía,
y pónela encima de un bufete* que habrá

BLANCA

Corre veloz, noche fría,
por que venga con la aurora   1230
del campo, donde está ahora,
a descansar mi García;
su luz anticipe el día,
    el Cielo se desabroche,
salga Faetón en su coche,   1235
verá su luz deseada
la primer enamorada
que ha aborrecido la noche.

TERESA

Mejor, señora, acostada
esperarás a tu ausente,   1240
porque asientan lindamente
sobre la holanda delgada
    los brazos que, ¡por el Credo!,

---

* "Es una mesa de una tabla que no se coge, y tiene los pies
clavados, y con sus visagras, que para mudarlos de una parte
a otra o para llevarlos de camino se embeven en el reverso
de la misma tabla" (Covarr.).

1235 Hijo del Sol y de Climene. Suplicó a su padre le dejara go-
bernar un solo día el carro del sol pero lo hizo tan mal, ora
abrasando el cielo, ora quemando la tierra, que Júpiter tuvo
que derrocarle con un rayo. El desdichado auriga cayó al
río Po. A veces se toma por el sol como lo hace la dolorida
e impaciente cónyuge.

que aunque fuera mi marido
Bras, que tampoco ha venido   1245
de la ciudad de Toledo,
    que le esperara roncando.

BLANCA

Tengo mis obligaciones.

TERESA

Y le echara a mojicones
si no se entrara callando;   1250
    mas si has de esperar que venga
mi señor, no estés en pie;
yo a Belardo llamaré
que tu desvelo entretenga;
    mas él viene.

(Sale Belardo)

BELARDO

            Pues al sol   1255
veo de noche brillar,
el sitio del Castañar
es antípoda español.

(Sale Belardo)

BLANCA

Belardo sentaos.

BELARDO

            Señora,
acostaos.

1255 Aunque rústico, Belardo tiene sus puntas de galanteador y
ningún conceptista le pone el pie delante.

BLANCA

En esta calma,   1260
dormir un cuerpo sin alma
fuera no esperar la aurora.

BELARDO

¿Esperáis?

BLANCA

Al alma mía.

BELARDO

Por muy necia la condeno,
pues se va al monte al sereno   1265
y os deja hasta que es de día.

Dentro Bras, cantando.

BRAS

Sí, vengo de Toledo, Teresa mía;
vengo de Toledo, y no de Francía.

TERESA

Mas ya viene mi garzón.

BELARDO

A abrirle la puerta iré.   1270

TERESA

Con tu licencia sabré
qué me trae, por el balcón.

1269 El conde le llamó "mancebo" (verso 879). Garzón es sinónimo.

BRAS

Que si buena es la albahaca,
mejor es la cruz de Calivaca.

*Ha de haber unas puertas como de balcón, que estén
hacia dentro, y abre Teresa.*

TERESA

¿Cómo vienes, Bras?

BRAS

Andando.   1275

TERESA

¿Qué me traes de la ciudad
en muestras de voluntad?

BRAS

Yo te lo diré cantando:
  Tráigote de Toledo, por que te alegres,
un galán, mi Teresa, como unas nueces.   1280

TERESA

¡Llévele el diablo mil veces;
ved qué sartal o corpiño!

Cierra juntando el balcón.

BLANCA

¿Qué te trae?

TERESA

Muy lindo aliño:
un galán como unas nueces.

1273 El olor de la albahaca, según Covarrubias, "es tan excelente
que puede ser rey de los demás olores".
1274 Es la cruz patriarcal compuesta de un pie y de dos travesaños
paralelos y desiguales que forman cuatro brazos. Quien ha
nacido un viernes santo puede tener en el paladar la cruz de
caravaca, o calivaca: es que tiene dones particulares para ser
curandero o saludador.

BLANCA

Será sabroso.

BRAS

¿Qué hay,   1285
Blanca? Teresa, ¡estoy muerto!
¿Qué? ¿No me abrazas?

TERESA

Por cierto,
por las cosas que me tray.

BRAS

Dimuños sois las mujeres.
¿A quién quieres más?

TERESA

A Bras.   1290

BRAS

Pues si lo que quieres más
te traigo, ¿qué es lo que quieres?

BLANCA

Teresa tiene razón.
Mas sentaos todos, y di:
¿qué viste en Toledo?

BRAS

Vi   1295
de casas un burujón
    y mucha gente holgazana,
y en calles buenas y ruines,
la basura a celemines

1296 Es aumentativo de "burujo" que significa bulto, amalgama,
pella pequeña. Tal montón o "chichón" de casas es visión
realista de Toledo, muy diferente de la magnífica idealización
del Greco. En francés dice Oudin: "amoncellement confus;
parfois tumeur".

y el cielo por cerbatana,   1300
  y dicen que hay infinitos
desdenes en caras buenas,
en verano berenjenas
y en el otoño mosquitos.

BLANCA

¿No hay más nuevas en la Corte?   1305

BRAS

Sátiras pide el deseo
malicioso, ya lo veo,
mas mi pluma no es de corte.
  Con otras cosas, señora,
os divertid hasta el alba,   1310
que al ausente Dios le salva.

BLANCA

Pues el que acertare ahora
  esta enigma de los tres,
daré un vestido de paño,
y el de grana que hice hogaño,   1315
a Teresa; digo, pues:
  ¿Cuál es el ave sin madre
que al padre no puede ver,
ni al hijo, y le vino a hacer
después de muerto su padre?   1320

BRAS

¿Polainas y galleruza
ha de tener?

1311 *Salvar* tiene aquí su sentido anticuado de "hacer la salva"
    es decir saludar la llegada de algún personaje de monta, como
    el astro del día o el querido esposo.
1321 ¿Quién mejor que Cervantes nos puede aclarar una palabra?
    En *Rinconete y Cortadillo* explica Cortado: "mi padre es sas-
    tre y calcetero, y me enseñó a cortar antiparas, que, como
    vuesa merced bien sabe, son medias calzas con avampiés, que
    por su propio nombre se suelen llamar *polainas*". En cuanto
    a la *galleruza* o más bien gallaruza es un "vestido de gente
    montañesa con capirote pegado a él para defender la cabeza
    del viento y del agua" (*Dicc. de Aut.*).

BLANCA

Claro es.
Digan en rueda los tres.

TERESA

El cuclillo.

BRAS

La lechuza.

BELARDO

No hay ave a quien mejor cuadre   1325
que el fénix, ni otra ser puede,
pues esa misma procede
de las cenizas del padre

BLANCA

El fénix es.

BELARDO

Yo gané.

BRAS

Yo perdí, como otras veces.   1330

BLANCA

Yo te doy lo que mereces.

1329 De seguro el animal mítico más evocado en la época. Se creía
que renacía de sus cenizas después de precipitarse en las brasas. Covarrubias explica: "Críase en la felice Arabia, tiene el
cuerpo y grandeza de un águila y vive seys cientos y sesenta
años" y añade: "...sea verdad o mentira, etc.". Era posible la
creencia en la existencia del ave Fénix. ¿No describió Gracián
un basilisco del museo de su amigo y protector Lastanosa?
Góngora en un soneto amoroso compara su amor con el ave
inmortal: "Unico Fénix es mi amor constante, // que en la
luz de esos soles abrasado // muere, y en él las esperanzas
leves. // Mas renace, hallando en un instante, // túmulo
triste en llamas levantado, // y cuna alegre en sus cenizas
breves".

BRAS

Un gorrino le daré
    a quien dijere el más caro
vicio que hay en el mundo.

BLANCA

En que es el juego me fundo.   1335

BRAS

Mentís, Branca, y esto es craro.

TERESA

El de las mujeres, digo
que es más costoso.

BRAS

                                Mentís.
Vos, Belardo, ¿qué decís?

BELARDO

Que el hombre de caza, amigo,   1340
    tiene el de más perdición,
más costoso y infelice;
la moralidad lo dice
del suceso de Anteón.

1336 *Mentís*, en boca de un hidalgo, sería una "palabra mayor",
    injuriosa y con desafío imprescindible. Así lo entiende Clarín
    en la primera escena de *El Mágico prodigioso* de Calderón
    al decir al otro gracioso moscón: "Tú te engañas // (que es
    el mentís más cortés // que se dice cara a cara)...". *Craro*:
    claro.
1344 El cazador Acteón sorprendió a la casta Diana desnuda en
    cristalina fuente. La diosa esquiva transformó al desdichado
    cazador en ciervo que los sabuesos despedazaron. Cualquier
    hombre de caza nocturna está en peligro de adornar la frente
    con vergonzosa cornamenta... La confusión entre Anteón y Ac-
    teón era frecuente en el s. XVII y Cervantes escribe en el
    Quijote: "no debió de quedar mas suspenso *Anteón* cuando
    vio al improviso bañarse a Diana..." (*Quijote*, II, 58).

BRAS

Mentís también, que a mi juicio,   1345
sin quedar de ello dudoso,
es el vicio más costoso
el del borracho, que es vicio
    con quien ninguno compite,
que si pobre viene a ser   1350
de lo que gastó en beber,
no puede tener desquite.

Silba Don García.

BLANCA

Oye, Bras, amigos, ea,
abrid, que es el alma mía;
temprano viene García;   1355
quiera Dios que por bien sea.

Vanse.

GARCÍA *(dentro.)*

Buenas noches, gente fiel.

BRAS

Seáis, señor, bien venido.

*Salen Don García, Bras, Teresa y Blanca, y arrima
Don García el arcabuz al bufete.*

GARCÍA

¿Cómo en Toledo te ha ido?

BRAS

Al Conde di tu papel,   1360
    y dijo respondería.

GARCÍA

Está bien. Esposa amada,
¿no estáis mejor acostada?
¿Qué esperáis?

BLANCA

                    Que venga el día.
Esperar como solía   1365
    a su cazador la diosa,
madre de amor cuidadosa,
cuando dejaba los lazos
y hallaba en sus tiernos brazos
otra cárcel más hermosa,   1370
    vínculo de amor estrecho
donde yacía su bien,
a quien dio parte también
del alma como del lecho;
mas yo, con mejor derecho,   1375
    cazador que al otro excedes,
haré de mis brazos redes
y por que caigas pondré
de una tórtola la fe,
cuyo llanto excusar puedes.   1380
    Llega, que en llanto amoroso,
no rebelde jabalí,
te consagro un ave, sí,
que lloraba por su esposo.
Concédete generoso   1385
    a vínculos permitidos,
y escucharán tus oídos
en la palestra de pluma,
arrullos blandos, en suma,
y no en el monte bramidos.   1390

1367 Alude Rojas a los amores de Venus con el gallardo mancebo
    Adonis. Este jovenzuelo, gran cazador, fue matado por un
    jabalí que no era sino Marte celoso y colérico. La madre de
    Cupido hizo brotar anémonas en cada gota de la adorada san-
    gre derramada.
1389 Las damas de la Comedia no suelen ser demasiado melindrosas
    para entregarse a sus galanes. Pero en las mujeres de Rojas

Que si bien estar pudiera
quejosa de que te alejes
de noche, y mis brazos dejes
por esperar una fiera,
adórote de manera, 1395
 que aunque propongo a mis ojos
quejas y tiernos despojos,
cuando vuelves desta suerte,
por el contento de verte,
te agradezco los enojos. 1400

GARCÍA

Blanca, hermosa Blanca, rama
llena por mayo de flor,
que es con tu bello color
etíope Guadarrama;
Blanca, con quien es la llama 1405
 del rojo planeta oscura,
y herido de su luz pura
el terso cristal pizarra,
que eres la acción más bizarra
del poder de la hermosura; 1410
 cuando alguna conveniencia
me aparte y quejosa quedes,
no más dolor darme puedes
que el que padezco en tu ausencia;
cuando vuelvo a tu presencia, 1415

---

aparece una sensualidad diferente, más cálida y voluptuosa
(cf. Introducción, p. 35). Como prueba de la audacia femenil
en el teatro clásico, una frase de la dama enamorada de
Tello en *El Rufián Dichoso*, de Cervantes (2.ª jorn.): "¿Pues
qué traza de importancia // en lo de gozarnos das?".

1404 El etíope, hombre de Etiopía, era símbolo de negrura: las
nieves del Guadarrama parecen negras comparadas con el cutis
lechoso de Blanca. Es imagen bastante frecuente. Los antiguos
denominaban Etiopía a todo el continente africano. Compárese
con la hipérbole que dedica Góngora a la novia de la *Soledad
Primera* para resaltar la blancura de sus manos y lo abrasador
de sus ojos: "que hacer podría / tórrida la Noruega con dos
soles / y blanca la Etiopía con dos manos".

de dejarte arrepentido,
en vano el pecho ofendido
me recibiera terrible,
que en la gloria no es posible
atormentar al sentido.   1420
   Las almas en nuestros brazos
vivan heridas y estrechas,
ya con repetidas flechas,
ya con recíprocos lazos;
no se tejan con abrazos   1425
   la vid y el olmo frondoso,
más estrechos que tu esposo
y tú, Blanca; llega, amor,
que no hay contento mayor
que rogar a un deseoso.   1430
   Y aunque no te traigo aquí,
del sol a la hurtada luz,
herido con mi arcabuz
el cerdoso jabalí,
ni el oso ladrón, que vi   1435
   hurtar del corto vergel
dos repúblicas de miel,
y después, a pocos pasos,
en el humor de sus vasos
bañar el hocico y piel,   1440
   te traigo para trofeos
de jabalíes y osos,
por lo bien trabado hermosos

1419 La visión y el conocimiento de Dios es la dicha del paraíso
   o *Gloria* donde son imposibles los tormentos y los dolores. Con
   la visión de Blanca, García siente deleite paradisíaco. ¿Me
   podrán perdonar los lectores un recuerdo de Santa Teresa
   (*Moradas* séptimas, Cap. II)? Describiendo el "matrimonio es-
   piritual" dice: "Es un secreto tan grande y una merced tan
   subida lo que comunica Dios allí a el alma en un instante,
   y el grandísimo deleite que siente el alma, que no sé a qué
   lo comparar, sino que quiere el Señor manifestarle por aquel
   momento la *gloria* que hay en el Cielo..." y añade: "Digamos
   que sea la unión como si dos velas de cera se juntasen tan en
   estremo que toda luz fuese una, u que el pábilo y la luz y la
   cera es todo uno..." (cf. nota al verso 991, jorn. 2.ª).

y distintamente feos,
un alma y muchos deseos   1445
   para alfombras de tus pies;
y me parece que es,
cuando tus méritos toco,
cuanto os he contado, poco,
como es poco cuanto ves.   1450

BRAS

¿Teresa allí? ¡Vive Dios!

TERESA

Pues aquí, ¿quién vive, Bras?

BRAS

Aquí vive Barrabás,
hasta que chante a los dos
   las bendiciones el cura;   1455
porque un casado, aunque pena,
con lo que otro se condena,
su salvación asegura.

TERESA

¿Con qué?

BRAS

              Con tener amor
a su mujer y aumentar.   1460

TERESA

Eso, Bras, es trabajar
en la viña del Señor.

1453 Bras es ladrón de amor hasta que el cura les diga "cara a
     cara sin reparo ni miramientos" (*Chantar: D.R.A*) las bendi-
     ciones del matrimonio.
1462 Cf. *El cantar de los Cantares*. En el verso 1449 en vez de
     "contado" se lee "escuchado" (*Clás. Castellanos*).

BLANCA

Desnudaos, que en tanto quiero
preveniros, prenda amada,
ropa por mi mano hilada,   1465
que huele más que el romero;
    y os juro que es más sutil
que ser la de Holanda suele,
porque cuando a limpia huele,
no ha menester al abril.   1470
    Venid los dos.

Vase.

BRAS

                Siempre he oído
que suele echarse de ver
el amor de la mujer
en la ropa del marido.

TERESA

    También en la sierra es fama   1475
que amor ni honra no tiene
quien va a la Corte y se viene
sin joyas para su dama.

Vanse.

GARCÍA

    Envídienme en mi estado
las ricas y ambiciosas majestades,   1480
mi bienaventurado
albergue, de delicias coronado
y rico de verdades;
envidien las deidades,
profanas y ambiciosas,   1485
mi venturoso empleo;

1486 Tiene *empleo* el sentido sentimental de amor y de persona
amada.

envidien codiciosas,
que cuando a Blanca veo,
su beldad pone límite al deseo.
    ¡Válgame el Cielo! ¿Qué miro?   1490

*Sale Don Mendo abriendo el balcón de golpe y
embózase.*

MENDO

(¡Vive Dios, que es el que veo *(Aparte.)*
García del Castañar!
¡Valor, corazón! Ya es hecho.
Quien de un villano confía
no espere mejor suceso.)   1495

GARCÍA

Hidalgo, si serlo puede
quien de acción tan baja es dueño,
si alguna necesidad
a robarme os ha dispuesto,
decidme lo que queréis,   1500
que por quien soy os prometo
que de mi casa volváis
por mi mano satisfecho.

MENDO

Dejadme volver, García.

GARCÍA

Eso no, porque primero   1505
he de conocer quién sois;
y descubríos muy presto,
u deste arcabuz la bala,
penetrará vuestro pecho.

MENDO

Pues advertid no me erréis,   1510

que si con vos igual quedo,
lo que en razón me lleváis,
en sangre y valor os llevo.
Yo sé que el Conde de Orgaz
lo ha dicho a alguno en secreto,   1515
informándole de mí.
La banda que cruza el pecho,
de quien soy, testigo sea.

GARCÍA

(El Rey es, ¡válgame el Cielo!, *(Aparte.)*
y que le conozco sabe.   1520

Cáesele el arcabuz.

Honor y lealtad, ¿qué haremos?
¡Qué contradicción implica
la lealtad con el remedio!)

MENDO

(¡Qué propria acción de villanos!
Temor me tiene o respeto,   1525
aunque para un hombre humilde
bastaba sólo mi esfuerzo;
el que encareció el de Orgaz
por valiente... ¡Al fin, es viejo!)
En vuestra casa me halláis,   1530
ni huir ni negarlo puedo,
mas en ella entré esta noche...

1513-1520 *Valor* tiene aquí el sentido de nobleza como lo demuestra
Lope de Vega en *El Perro del Hortelano* (Jorn. I, Esc. V):
"Si era *hombre de valor* // ¿Fuera bien echar tu honor //
desde el portal a la calle?". Don Mendo, orgulloso de sus
recientes Grandeza y Banda alude a la información del Conde
de Orgaz. García piensa en la carta del mismo.
1529 No sólo viejo sino cadáver ya era el Conde de Orgaz en la
fecha histórica. El desprecio de don Mendo para con los villanos abarca también a los ancianos. La cordura de los viejos
le parece más bien chochez. Lo mismo opinó el General de
Gaulle (en su edad madura) hablando de otro general histórico: "La vejez es un naufragio".

GARCÍA

¡A hurtarme el honor que tengo!
¡Muy bien pagáis, a mi fe,
el hospedaje, por cierto,   1535
que os hicimos Blanca y yo!
Ved qué contrarios efetos
verá entre los dos el mundo,
pues yo ofendido os venero,
y vos, de mi fe servido,   1540
me dais agravios por premios!

MENDO

(No hay que fiar de un villano *(Aparte.)*
ofendido, pues que puedo,
me defenderé con éste.)

GARCÍA

¿Qué hacéis? Dejad en el suelo   1545
el arcabuz y advertid
que os lo estorbo, porque quiero
no atribuyáis a ventaja
el fin de aqueste suceso,
que para mí basta sólo   1550
la banda de vuestro cuello,
cinta del sol de Castilla,
a cuya luz estoy ciego.

MENDO

¿Al fin me habéis conocido?

GARCÍA

Miradlo por los efectos.   1555

MENDO

Pues quien nace como yo
no satisface, ¿qué haremos?

1557 *Satisfacer* es deshacer un agravio o una ofensa ofreciendo disculpas o desafío. No puede imaginarse entre Grande y villano.

GARCÍA

Que os vais, y rogad a Dios
que enfrene vuestros deseos,
y al Castañar no volváis,   1560
que de vuestros desaciertos
no puedo tomar venganza,
sino remitirla al Cielo.

MENDO

Yo lo pagaré, García.

GARCÍA

No quiero favores vuestros.   1565

MENDO

No sepa el Conde de Orgaz
esta acción.

GARCÍA

Yo os lo prometo.

MENDO

Quedad con Dios.

GARCÍA

Él os guarde
y a mí de vuestros intentos
y a Blanca.

MENDO

Vuestra mujer...   1570

En *La Verdad Sospechosa*, de Alarcón (Acto III, Esc. VII),
dice D. García: "Satisfice a su demanda, // y por quedar
bien, al fin, // desnudamos las espadas".
1560 El rey Felipe IV se encontró en apuro semejante. Sabemos
que trataba de luchar contra sus apetitos apelando a la santa
ayuda de sor María de Ágreda.

GARCÍA

No, señor; no habléis en eso,
que vuestra será la culpa.
Yo sé la mujer que tengo.

MENDO

(¡Ay, Blanca, sin vida estoy! *(Aparte.)*
¡Qué dos contrarios opuestos!   1575
Éste me estima, ofendido;
tú, adorándote, me has muerto.)

GARCÍA

¿Adónde vais?

MENDO

A la puerta.

GARCÍA

¡Qué ciego venís, qué ciego!
Por aquí habéis de salir.   1580

MENDO

¿Conocéisme?

GARCÍA

                  Yo os prometo
que a no conocer quien sois
que bajárades más presto;
mas tomad este arcabuz
agora, porque os advierto   1585
que hay en el monte ladrones
y que podrán ofenderos
si, como yo, no os conocen.
Bajad aprisa. (No quiero *(Aparte.)*
que sepa Blanca este caso.)   1590

MENDO

Razón es obedeceros.

GARCÍA

Aprisa, aprisa, señor;
remitid los cumplimientos,
y mirad que al descender
no caigáis, porque no quiero   1595
que tropecéis en mi casa,
porque de ella os vayáis presto.

MENDO

(¡Muerto voy! *(Aparte.)*

Vase.

GARCÍA

          Bajad seguro,
pues que yo la escala os tengo.
   ¡Cansada estabas, Fortuna,   1600
de estarte fija un momento!
¡Qué vuelta diste tan fiera
en aqueste mar! ¡Qué presto
que se han trocado los aires!
¡En qué día tan sereno   1605
contra mi seguridad
fulmina rayos el Cielo!
Ciertas mis desdichas son,
pues no dudo lo que veo,
que a Blanca, mi esposa, busca   1610

1600 Divinidad mitológica representada con un pie sobre una rueda
    y el otro levantado. Tenía los ojos vendados y simbolizaba el
    destino ciego y antojadizo. En *El laberinto de Fortuna* Juan
    de Mena escribe "Bolviendo los ojos a do me mandava, //
    vi más adentro muy grandes tres ruedas: // las dos eran firmes,
    inmotas e quedas, // mas la de enmedio boltar non çessa-
    va; //" (estr. 56, *Clásicos castellanos*, vol. n.º 119, edición de
    José Manuel Blecua, pág. 34).

el rey Alfonso encubierto.
¡Qué desdichado que soy,
pues altamente naciendo
en Castilla Conde, fui
de aquestos montes plebeyo   1615
labrador, y desde hoy
a estado más vil desciendo!
¿Así paga el rey Alfonso
los servicios que le he hecho?
Mas desdicha será mía,   1620
no culpa suya; callemos,
y afligido corazón,
prevengamos el remedio,
que para animosas almas
son las penas y los riesgos.   1625
Mudemos tierra con Blanca,
sagrado sea otro reino
de mi inocencia y mi honor...
pero dirán que es de miedo,
pues no he de decir la causa,   1630
y que me faltó el esfuerzo
para ir contra Algecira.
¡Es verdad! Mejor acuerdo
es decir al Rey quien soy...
mas no, García, no es bueno,   1635
que te quitará la vida
por que no estorbe su intento;
pero si Blanca es la causa
y resistirle no puedo,
que las pasiones de un Rey   1640
no se sujetan al freno
ni a la razón, ¡muera Blanca!

1627 Lugar de refugio para los delincuentes o perseguidos. Lo eran
los templos consagrados, las inmediaciones de Palacio, la universidad. El Rodrigo de Guillén de Castro le dice al Conde:
"Cualquier sombra de esta casa // es *sagrado* para ti..." (*Las
Mocedades del Cid*, Jornada Iª, Esc. 3.ª).

Saca el puñal.

pues es causa de mis riesgos
y deshonor, y elijamos,
corazón, del mal lo menos.   1645
A muerte te ha condenado
mi honor, cuando no mis celos,
porque a costa de tu vida,
de una infamia me prevengo.
Perdóname, Blanca mía,   1650
que, aunque de culpa te absuelvo,
sólo por razón de estado,
a la muerte te condeno.
Mas ¿es bien que conveniencias
de estado en un caballero,   1655
contra una inocente vida,
puedan más que no el derecho?
Sí, cuando la Providencia
y cuando el discurso atento
miran el daño futuro   1660
por los presentes sucesos.
Mas ¿yo he de ser, Blanca mía,
tan bárbaro y tan severo,
que he de sacar los claveles
con aquéste de tu pecho   1665
de jazmines? No es posible,
Blanca hermosa, no lo creo,
ni podrá romper mi mano
de mis ojos el espejo.
Mas ¿de su beldad, ahora   1670
que me va el honor, me acuerdo?
¡Muera Blanca y muera yo!

1657 Las vacilaciones de García (a pesar de la lógica tremenda de
su razonamiento) son conmovedoras. No se trata de un autó-
mata regido por leyes frías, sino de un hombre que padece
y ama.
1664 La sangre de Venus dio su color a la rosa; la de Blanca for-
mará claveles en el jazmín de su tez. La imagen poética abarca
el olfato, la vista, el tacto (el pétalo aterciopelado semejante
a la piel), el oído (el ritmo de los versos). Lorca utilizará pro-
cedimientos similares.

¡Valor, corazón! Y entremos
en una a quitar dos vidas,
en uno a pasar dos pechos,   1675
en una a sacar dos almas,
en uno a cortar dos cuellos,
si no me falta el valor,
si no desmaya el aliento
y si no, al alzar los brazos,   1680
entre la voz y el silencio,
la sangre salta a las venas
y el corte le falta al hierro.

1677 Arranque final de lirismo y de "suspense" como le corresponde
al final de una jornada bien organizada. La alternación del
femenino y del masculino *en una, en uno* evocando a Blanca
y García, la muerte de una siendo la del **otro**, **presta a los**
versos valor dramático y perfectamente teatral.

JORNADA TERCERA

Sale el Conde de camino.

CONDE

Trae los caballos de la rienda, Tello,
que a pie quiero gozar del día bello,   1685
pues tomó de este monte,
el día posesión deste horizonte.
¡Qué campo deleitoso!
Tú que le vives, morarás dichoso,
pues en él, don García,   1690
dotrina das a la filosofía,
y la mujer más cuerda,
Blanca en virtud, en apellido Cerda;
pero si no me miente
la vista, sale apresuradamente,   1695
con señas celestiales,
de entre aquellos jarales,
una mujer desnuda:
bella será si es infeliz, sin duda.

*Sale Doña Blanca con algo de sus vestidos en los
brazos, mal puesto.*

1693 Ver la nota al verso 852 de la Jornada 2.ª. En *B.A.E.*, verso
1689, "morirás", en vez de morarás.
1699 *Sin duda alguna*, hermosa y desdichada (cf. nota 6.ª, Jornada
2.ª). La salida de Blanca además de seductora es también sorprendente: el espectador espera, anhelante, la explicación de
un drama evidente.

BLANCA

¿Dónde voy sin aliento, 1700
cansada, sin amparo, sin intento,
entre aquella espesura?
Llorad, ojos, llorad mi desventura,
y en tanto que me visto,
decid, pues no resisto, 1705
lenguas del corazón sin alegría.
¡Ay, dulces prendas cuando Dios quería!

CONDE

Aunque mal determino,
parece que se viste, y imagino
que está turbada y sola; 1710
de la sangre española
digna empresa es aquesta.

BLANCA

Un hombre para mí la planta apresta.

CONDE

Parece hermosa dama.

BLANCA

Quiero esconderme entre la verde rama. 1715

CONDE

Mujer, ¡escucha, tente!
¿Sales, como Diana de la fuente
para matar, severa,
de amor al cazador como a la fiera?

1707 Recuerdo de Garcilaso: "¡Oh dulces prendas, por mí mal
halladas, // dulces y alegres cuando Dios quería!" (Soneto X).
Dos versos que D. Quijote dijo "sospirando, y sin mirar lo
que decía, ni delante de quien estaba" (*Don Quijote*, II, 18).
1719 Aunque entrado en años el Conde maneja el requiebro mito-
lógico como el que más: otra alusión a Acteón. (cf. nota al
verso 1367 de la Jornada 2.ª).

BLANCA

Mas, ¡ay, suerte dichosa!,   1720
éste es el Conde.

CONDE

                    ¡Hija, Blanca hermosa!
¿Dónde vas desta suerte?

BLANCA

    Huyendo de mi esposo y de mi muerte.
Ya las dulces canciones
que en tanto que dormía en mis balcones,   1725
alternaban las aves,
no son, ¡oh Conde! epitalamios graves.
Serán, ¡oh, dueño mío!,
de pájaro funesto agüero impío
que el día entero y que las noches todas   1730
cante mi muerte por cantar mis bodas.
Trocóse mi ventura;
oye la causa y presto te asegura,
y ve a mi casa, adonde
muerto hallarás mi esposo. ¡Muerto, Conde!   1735
Aquesta noche, cuando
le aguardaba mi amor en lecho blando,
último del deseo
término santo y templo de Himeneo,
cuando yo le invocaba,   1740
y la familia recogida estaba,
entrar le vi severo,
blandiendo contra mí un blanco acero;
dejé entonces la cama,
como quien sale de improvisa llama,   1745

1739 *Himeneo*: Joven ateniense, según la leyenda hijo de Baco y
    Venus. Logró salvar a su amada raptada por piratas, y a pe-
    sar de la clarísima alcurnia de la joven, pudo casarse con
    ella en premio de su hazaña. La palabra puede significarse
    también casamiento y epitalamio.
1741 *Familia*: Latinismo: el conjunto de los criados que viven en
    la casa bajo la autoridad del padre de familia.

y mis vestidos busco,
y al ponerme, me ofusco
esta cota brillante.
¡Mira qué fuerte peto de diamante!
Vístome el faldellín, y apenas puedo   1750
hallar las cintas ni salir del ruedo.
Pero, sin compostura,
le aplico a mi cintura,
y mientras le acomodo,
lugar me dio la suspensión a todo.   1755
La causa le pregunto,
mas él, casi difunto,
a cuanto vio y a cuanto le decía,
con un suspiro ardiente respondía,
lanzando de su pecho y de sus ojos   1760

1747 *Ofuscar* es deslumbrar, turbar la vista, pero también obscurecer.
1748 *Cota*: Es primero el jubón, o sea la "vestidura que cubre desde los hombros hasta la cintura, ceñida y ajustada al cuerpo" (*D.R.A.*). Pero es también arma defensiva que protege el pecho, hecha de anillejos de acero enlazados unos con otros (cota de malla). De donde la alusión a *peto*, parte de la armadura que cubre el pecho (proceden las dos palabras del latín *pectus*, como Sancho y santo de *sanctus*). En cuanto a *diamante*, se usa como símbolo de dureza, haciéndose tradicionales expresiones como *peto de diamante* o muros de diamantes. En francés: "Guimpe, petite chemise de toile" (C. Oudin).
1750 *Faldellín*: Covarrubias describe el *faldellín* de modo detallado: "la mantilla larga que las mujeres traen sobre la camisa, que sobrepone la una falda sobre la otra, siendo abierto, a diferencia de las vasquiñas y sayas, que son cerradas y las entran por la cabeza". Siendo *el ruedo* "la orla interior que tienen los vestidos talares a la extremidad y alrededor de ellos" (*Dicc. de Aut.*), Rojas parece imaginar el *faldellín* cerrado como saya. ¡Lástima no se pueda apelar a la sabiduría de don Juan! Melisendra, al evadirse de Zaragoza gracias al valor de su esposo don Gaiferos, tuvo dificultades con tal prenda: "Mas ¡ay, sin ventura! que se le ha asido una punta del *faldellín* de uno de los hierros del balcón, y está pendiente en el aire, sin poder llegar al suelo" (*Don Quijote*, II, 26). César Oudin traduce: "Surcot ou cotillon plissé qui se met sur la chemise".
1755 *Suspensión*: Es figura de retórica "que consiste en diferir, para avisar el interés del oyente o lector, la declaración del concepto a que va encaminado y en que ha de tener remate lo dicho anteriormente" (*D.R.A.*). Tal "suspense" o detención en la acción es primera prueba de las dolorosas vacilaciones de García.

piedades confundidas con enojos,
tan juntos, que dudaba
si eran iras o amor lo que miraba,
pues de mí retirado,
le vi volver más tierno, más airado,   1765
diciéndome, entre fiero y entre amante:
"Tú, Blanca, has de morir, y yo al instante."
Mas el brazo levanta,
y abortando su voz en su garganta,
cuando mi fin recelo,   1770
caer le vi en el suelo,
cual suele el risco cano,
del aire impulso decender al llano,
y yerto en él, y mudo,
de aquel monte membrudo,   1775
suceder en sus labios y en sus ojos,
pálidas flores a claveles rojos.
Y con mi boca y mi turbada mano,
busco el calor entre su hielo en vano,
y estuve desta suerte   1780
neutral un rato entre la vida y muerte;
hasta que, ya latiendo,
oí mi corazón estar diciendo:
"Vete, Blanca, infelice,
que no son siempre iguales   1785
los bienes y los males,
y no hay acción alguna
más vil que sujetarse a la Fortuna."
Yo le obedezco, y dejo
mi aposento y mi esposo, y de él me alejo,   1790
y en mis brazos, sin bríos,
mal acomodo los vestidos míos.

1773 Participio pasado de *impulsar*.
1775 La misma imagen en Góngora (*Polifemo y Galatea*): "Era
un monte de miembros eminente...". Cayó como un plomo don
García y su esposa quedó atónita al ver tanta fuerza aniqui-
lada de repente. La palidez del desmayo va descrita después
con delicadeza poética (que puede sorprender tratándose de
un robusto varón) pero que es prueba de profunda ternura
conyugal.

Por donde voy no veía,
cada paso caía,
y era, Conde, forzoso,   1796
por volver a mirar mi amado esposo.
Las cosas que me dijo
cuando la muerte me intimó y predijo,
los llantos, los clamores,
la blandura mezclada con rigores,   1800
los acometimientos, los retiros,
las disputas, las dudas, los suspiros,
el verle amante y fiero,
ya derribarse el brazo, ya severo
levantarle arrogante,   1805
como la llama en su postrero instante,
el templar sus enojos
con llanto de mis ojos,
el luchar, y no en vano,
con su puñal mi mano,   1810
que con arte consiente
vencerse fácilmente,
como amante que niega
lo que desea dar a quien le ruega;
el esperar mi pecho   1815
el crudo golpe, en lágrimas deshecho;
ver aquel mundo breve,
que en fuego comenzó y acabó nieve,
y verme a mí asombrada,
sin determinación, sola y turbada,   1820
sin encontrar recurso
en mis pies, en mi mano, en mi discurso;
el dejarle en la tierra,
como suele en la sierra
la destroncada encina,   1825
el que oyó de su guarda la bocina,
que deja al enemigo,

1818 El ardor de la cólera, primero, y el hielo del desmayo después
en este *diminuto mundo, monte membrudo* que es García. El
empleo de *aquel* es interesante como si indicara persona diferente, ajena al esposo de antes.

desierto el tronco en quien buscaba abrigo;
el buscar de mis puertas,
con las plantas inciertas,   1830
las llaves, y sintiendo...
¡aquí, señor, me ha de faltar aliento!...
el abrirlas a escuras,
el no poder hallar las cerraduras,
tan turbada y sin juicio,   1835
que las buscaba de uno en otro quicio,
y las penas que pasa
el corazón, cuando dejé mi casa,
por estas espesuras,
en cuyas ramas duras   1840
hallarás mis cabellos...
¡pluguiera a Dios me suspendiera en ellos!...
te contaré otro día.
Agora ve, socorre al alma mía,
que queda de este modo;   1845
yo lo perdono todo,
que no es, señor, posible
fuese su brazo contra mí terrible
sin algún fundamento;
bástele por castigo el mismo intento,   1850
y a mí por pena básteme el cuidado,
pues yace, si no muerto, desmayado.
Acúdele a mi esposo,
¡oh, Conde valeroso!
sucesor y pariente   1855
de tanta, con diadema, honrada frente;
así la blanca plata
que por tu grave pecho se dilata,
barra de España las moriscas huellas,
sin dejar en su suelo señal de ellas,   1860
que los pasos dirijas
adonde, si está vivo, le corrijas

1842 Así le pasó a Absalón fugitivo: su abundante cabellera le dejó
colgado de una rama y Joab lo mató.
1859 *Barra* es el modo optativo. La imagen de las dilatadas barbas
canas barriendo las huellas moriscas no parece acertadísima.

de fiereza tan dura,
y seas, porque cobre mi ventura
cuando de mí te informe,   1865
árbitro entre los dos que nos conforme,
pues los hados fatales
me dieron el remedio entre los males,
pues mi fortuna quiso
hallase en ti favor, amparo, aviso,   1870
pues que miran mis ojos
no salteadores de quien ser despojos,
pues eres, Conde ilustre,
gloria de Illán y de Toledo lustre,
pues que plugo a mi suerte   1875
la vida hallase quien tocó la muerte.

CONDE

Digo es el caso de prudencia mucha:
éste es mi parecer. ¡Ah, Tello! Escucha.

Sale Tello.

Ya sabes, Blanca, como siempre es justo
acudas a mi gusto;   1880
así, sin replicarme,
con Tello al punto, sin excusas darme,
en aquese caballo, que lealmente
a mi persona sirve juntamente,
caminad a Toledo;   1885
esto conviene, Blanca, esto hacer puedo.
Y tú, a Palacio llega,
a la Reina la entrega,
que yo voy a tu casa,
que por llegar el corazón se abrasa,   1890
y de estar de tu parte
para servirte, Blanca, y ampararte.

TELLO

Vamos, señora mía.

1874 El relato de Blanca es magnífica tirada de versos líricos.

BLANCA

Más quisiera, señor, ver a García.

CONDE

Que aquesto importa advierte.   1895

BLANCA

Principio es de acertar, obedecerte.

Vanse, y sale Don García con el puñal desnudo.

GARCÍA

¿Dónde voy, ciego homicida?
¿Dónde me llevas, honor,
sin el alma de mi amor,
sin el cuerpo de mi vida?   1900
¡Adiós, mitad dividida
   del alma, sol que eclipsó
una sombra! Pero no,
que muerta la esposa mía,
ni tuviera luz el día   1905
ni tuviera vida yo.
   ¿Blanca muerta? No lo creo;
el Cielo vida la dé,
aunque esposo la quité
lo que amante la deseo;   1910
quiero verla, pero veo
   sólo el retrete, y abierta
de mi aposento la puerta,
limpio en mi mano el puñal,
y en fin, yo vivo, señal   1915
de que mi esposa no es muerta.
   ¿Blanca con vida, ¡ay de mí!,
cuando yo sin honra estoy?
¡Como ciego amante soy,

1906 El paralelismo con la obra romántica de Hartzenbusch *Los
Amantes de Teruel* (ya citada) es extraño: "Quiso formar el
Señor // modelos de puro amor // un hombre y una mujer, // y para hacer la igualdad cumplida, // les dio *un
alma en dos partida...*" (Acto 1.º, Esc. IVª).

esposo cobarde fui!   1920
Al Rey en mi casa vi
  buscando mi prenda hermosa,
y aunque noble, fue forzosa
obligación de la ley
ser piadoso con el Rey   1925
y tirano con mi esposa.
    ¡Cuántas veces fié al tirano
acero la ejecución!
¡y cuántas el corazón
dispensó el golpe a la mano!   1930
Si es muerta, morir es llano;
  si vive, muerto he de ser.
¡Blanca, Blanca! ¿Qué he de hacer?
Mas, ¿qué me puedes decir,
pues sólo para morir   1935
me has dejado en qué escoger?

                    Sale el Conde.

                         CONDE

  Dígame vueseñoría:
¿contra qué morisco alfanje
sacó el puñal esta noche,
que está en su mano cobarde?   1940
¿Contra una flaca mujer,
por presumir, ignorante,
que es villana? Bien se acuerda,
cuando propuso casarse,
que le dije era su igual,   1945
y mentí, porque un Infante
de los Cerdas fue su abuelo,
si Conde su noble padre.
¿Y con una labradora
se afrentara? ¡Como sabe   1950
que el Rey ha venido a verle,

1927 En *Clás. Castellanos*: "¡cuántas veces fue tirano // acero a la
ejecución, // y cuántas al corazón // dispensó el golpe a
la mano". Seguimos aquí la *B.A.E.*. aunque así resulte un verso
de nueve sílabas si se aplican rigurosamente las normas de
versificación.

y por mi voto le hace
Capitán de aquesta guerra,
y me envía de su parte
a que lo lleve a Toledo!...   1955
¿Es bien que aquesto se pague
con su muerte, siendo Blanca
luz de mis ojos brillante?
Pues ¡vive Dios! que le había
de costar al loco, al fácil,   1960
cuanta sangre hay en sus venas
una gota de su sangre.

GARCÍA

Decidme: Blanca, ¿quién es?

CONDE

Su mujer, y aquesto baste.

GARCÍA

Reportaos. ¿Quién os ha dicho   1965
que quise matarla?

CONDE

                Un ángel
que hallé desnudo en el monte;
Blanca, que, entre sus jarales,
perlas daba a los arroyos,
tristes suspiros al aire.   1970

GARCÍA

¿Dónde está Blanca?

CONDE

                A Palacio,
esfera de su real sangre,
la envié con un criado.

1960 Hombre *fácil*, el que es poco constante en su parecer y voto,
que cada uno le lleva a su opinión (Covarr.).

GARCÍA

¡Matadme, señor; matadme!
¡Blanca en Palacio y yo vivo!   1975
Agravios, honor, pesares,
¿cómo, si sois tantos juntos,
no me acaban tantos males?
¿Mi esposa en Palacio, Conde?
¿Y el Rey, que los cielos guarden,   1980
me envía contra Algecira
por Capitán de sus haces,
siendo en su opinión villano?
¡Quiera Dios que en otra parte
no desdore con afrentas   1985
estas honras que me hace!
Yo me holgara, ¡a Dios pluguiera!,
que esa mujer que criasteis
en Orgaz para mi muerte,
no fuera de estirpes reales,   1990
sino villana y no hermosa,
y a Dios pluguiera que antes
que mi pecho enterneciera,
aqueste puñal infame
su corazón, con mi riesgo,   1995
le dividiera en dos partes;
que yo os excusara, Conde,
el vengarla y el matarme,
muriéndome yo primero.
¡Qué muerte tan agradable   2000
hubiera sido, y no agora
oír, para atormentarme,
que está sin defensa adonde

1982 Alude a los amores de David, rey de Israel, que hizo morir a
Urías, oficial suyo, mandándole al centro del combate para
casarse con su hermosísima viuda Betsabé. El profeta Natán
le reprochó el crimen. Los pintores han representado a menudo
el baño seductor de Betsabé (Rembrandt; Cranach por ejemplo). El Museo del Prado tiene un cuadro de Lucas Jordán
con el mismo tema.

todo el poder la combate!
Haced cuenta que mi esposa   2005
es una bizarra nave
que por robarla, la busca
el pirata de los mares,
y en los enemigos puertos
se entró, cuando vigilante   2010
en los propios la buscaba,
sin pertrechos que la guarden,
sin piloto que la rija
y sin timón y sin mástil.
No es mucho que tema, Conde,   2015
que se sujete la nave
por fuerza o por voluntad
al Capitán que la bate.
No quise, por ser humilde,
dar la muerte ni fue en balde;   2020
creed que, aunque no la digo,
fue causa más importante.
No puedo decir por qué,
mas advertid que más sabe,
que el entendido en la ajena,   2025
en su casa el ignorante.

CONDE

¿Sabe quién soy?

GARCÍA

Sois Toledo,
y sois Illán por linaje.

CONDE

¿Débeme respeto?

2006 La mujer hermosa comparada con "bizarra nave" o "alta nave"
(Lope de Vega). En su *Oda a la Barquilla* escribe el Fénix
de los Ingenios: "Pobre barquilla mía // entre peñascos
rota, // sin velas desvelada, // y entre las olas sola, //
¿Adónde vas perdida? // ¿Adónde, dí, te engolfas?...".

GARCÍA

Sí,
que os he tenido por padre.   2030

CONDE

¿Soy tu amigo?

GARCÍA

Claro está.

CONDE

¿Qué me debe?

GARCÍA

Cosas grandes.

CONDE

¿Sabe mi verdad?

GARCÍA

Es mucha.

CONDE

¿Y mi valor?

GARCÍA

Es notable.

CONDE

¿Sabe que presido a un reino?   2035

GARCÍA

Con aprobación bastante.

2035 Los espectadores de la época, al oir al Conde decir: "¿Sabe
que presido a un reino?" ¿Podían no pensar en el Conde-
Duque, Olivares? La contestación de García sería, de parte
del autor, acertada alabanza.

CONDE

Pues confiese lo que siente,
y puede de mí fiarse
el valor de un caballero
tan afligido y tan grave,   2040
dígame vueseñoría,
hijo, amigo, como padre,
como amigo, sus enojos;
cuénteme todos sus males,
refiérame sus desdichas.   2045
¿Teme que Blanca le agravie?
Que es, aunque noble, mujer.

GARCÍA

¡Vive Dios, Conde, que os mate
si pensáis que el sol ni el oro,
en sus últimos quilates,   2050
para exagerar su honor,
es comparación bastante!

CONDE

Aunque habla como debe,
mi duda no satisface,
por su dolor regulada.   2055
Solo estamos; acabe,
por la cruz de aquesta espada,
de acudille y de amparalle,
si fuera Blanca mi hija,
que en materia semejante   2060

2051 *Exagerar* significa "encarecer una cosa, ponerla por las nubes"
(Covarr.). En el final de *Rinconete y Cortadillo*, aparece el
verbo con un sentido parecido: "Finalmente, exageraba cuán
descuidada justicia había en aquella tan famosa ciudad de
Sevilla".

2058 Me parece algo retorcida la construcción de las frases. Creo
que se debe entender lo que sigue: "Aunque vueseñoría habla
como debe, no satisface mi duda regulada por su dolor; acabe
(yo) de acudirle y ampararle que, si fuera Blanca mi hija,
en materia semejante depondré por su honra el amor y las
piedades".

por su honra depondré
el amor y las piedades.
Dígame si tiene celos.

CONDE

No tengo celos de nadie.

CONDE

Pues ¿qué tiene?

GARCÍA

                    Tanto mal,   2065
que no podéis remedialle.

CONDE

Pues ¿qué hemos de hacer los dos
en tan apretado lance?

GARCÍA

¿No manda el Rey que a Toledo
me llevéis? Conde, llevadme.   2070
Mas decid: ¿sabe quién soy
Su Majestad?

CONDE

                    No lo sabe.

GARCÍA

Pues vamos, Conde, a Toledo.

CONDE

Vamos, García.

GARCÍA

                    Id delante.

CONDE

(Tu honor y vida amenaza, *(Aparte.)*   2075
Blanca, silencio tan grande,
que es peligroso accidente
mal que a los labios no sale.)

GARCÍA

(¿No estás en Palacio, Blanca? *(Aparte.)*
¿No fuiste y me dejaste?   2080
Pues venganza será ahora
la que fue prevención antes.)

Vanse, y salen la Reina y Doña Blanca.

REINA

De vuestro amparo me obligo
y creedme que me pesa
de vuestros males, Condesa.   2085

BLANCA

(¿Condesa? No habla conmigo.)
Mire Vuestra Majestad
que de quien soy no se acuerda.

REINA

Doña Blanca de la Cerda,
prima, mis brazos tomad.   2090

BLANCA

Aunque escuchándola estoy,
y sé no puede mentir,
vuelvo, señora, a decir
que una labradora soy,

_____

2077 *accidente*: "Indisposición o enfermedad; pasión o movimiento
del alma" (*D.R.A.*).

tan humilde, que en la villa 2095
de Orgaz, pobre me crié,
sin padre.

REINA

Y padre que fue
propuesto Rey en Castilla.
De don Sancho de la Cerda
sois hija; vuestro marido 2100
es, Blanca, tan bien nacido
como vos, y pues sois cuerda,
y en Palacio habéis de estar,
en tanto que vuelve el Conde,
no digáis quién sois, y adonde 2105
ha de ser voy a ordenar.

Vase.

BLANCA

¿Habrá alguna, Cielo injusto,
a quien dé el hado cruel
los males tan de tropel,
y los bienes tan sin gusto 2110
como a mí? ¿Ni podrá estar
viva con mal tan exento,
que no da vida un contento
y da la muerte un pesar?
¡Ay, esposo, qué de enojos 2115
me debes! Mas pesar tanto,
¿cómo lo dicen sin llanto
el corazón y los ojos?

Pone un lienzo * en el rostro y sale Mendo.

2112 Participio pasado irregular de eximir. Parece significar absoluto, paro, libre de todo sentimiento extraño, total.
   * Con un lienzo en la cara, Blanca se transforma en clásica
"tapada". Don Mendo no la conocerá con facilidad (verso
2132). Tal costumbre disimulada permite en la Comedia numerosos *quid pro quo.* En el acto III, escena VI de *La
Verdad Sospechosa*, de Alarcón, leemos: "Jacinta *(aparte a*

MENDO

Labradora que al abril
florido en la gala imita,   2120
de los bellos ojos quita
ese nublado sutil,
si no es que, con perlas mil,
    bordas, llorando, la holanda.
¿Quién eres? La Reina manda   2125
que te guarde, y ya te espero.

BLANCA

Vamos, señor caballero,
el que trae la roja banda.

MENDO

Bella labradora mía,
¿conócesme acaso?

BLANCA

                    Sí;   2130
pero tal estoy, que a mí
apenas me conocía.

MENDO

Desde que te vi aquel día
    cruel para mí, señora,
el corazón que te adora,   2135
ponerse a tus pies procura.

Lucrecia): "Cúbrete, pues no te ha visto, // y desengáñate
agora. // *(Tápanse Lucrecia y Jacinta)*. Lucrecia: "Disimula
y no me nombres...". Y el mentiroso don García equivocará
"el dueño" diciendo a la amiga próxima: "Corred los delga-
dos velos // a ese asombro de los cielos...". Hay escenas todavía más divertidas como en *El Rufián dichoso* de Cervantes,
por ejemplo.

BLANCA

(Sólo aquesta desventura,
Blanca, te faltaba ahora!)

MENDO

Anoche en tu casa entré
con alas de amor por verte;   2140
mudaste mi feliz suerte,
mas no se mudó mi fe;
tu esposo en ella encontré,
    que, cortés, me resistió.

BLANCA

¿Cómo? ¿Qué decís?

BLANCA

                    Que no,   2145
Blanca, la ventura halla
amante que va a buscalla,
sino acaso, como yo.

BLANCA

Ahora sé, caballero,
que vuestros locos antojos   2150
son causa de mis enojos,
que sufrir y callar quiero.

Sale Don García.

GARCÍA

Al Conde de Orgaz espero
    Mas, ¿qué miro?

MENDO

                    Tu dolor
satisfaré con amor.   2155

BLANCA

Antes quitaréis primero
la autoridad a un lucero,
que no la luz a mi honor.

GARCÍA

(¡Ah, valerosa mujer! *(Aparte.)*
¡Oh, tirana Majestad!)   2160

MENDO

Ten, Blanca, menos crueldad.

BLANCA

Tengo esposo.

MENDO

Y yo poder,
y mejores han de ser
mis brazos que honra te dan,
que no sus brazos.

BLANCA

Sí harán,   2165
porque, bien o mal nacido,
el más indigno marido
excede al mejor galán.

GARCÍA

(Mas, ¿cómo puede sufrir
un caballero esta ofensa?   2170
Que no le conozco piensa
el Rey; saldréle a impedir.)

2157 *autoridad*: Brillo, fausto, ostentación y aparato, y también
      poder.
2159 Llena de *valor*, con el sentido de nobleza y de precio.

MENDO

¿Cómo te has de resistir?

BLANCA

Con firme valor.

MENDO

                    ¿Quién vio
tanta dureza?

BLANCA

                    Quien dio   2175
fama a Roma en las edades.

MENDO

¡Oh, qué villanas crueldades!
¿Quién puede impedirme?

GARCÍA

                    Yo,
que esto sólo se permite
a mi estado y desconsuelo,   2180
que contra rayos del Cielo,
ningún humano compite,
y sé que aunque solicite
    el remedio que procuro,
ni puedo ni me aseguro,   2185
que aquí, contra mi rigor,
ha puesto el muro el amor,
y aquí el respeto otro muro.

BLANCA

¡Esposo mío, García!

2176 Alude Blanca a Lucrecia que se suicidó después de forzada
por Tarquino sexto. Lucio Tarquino Colantino, su esposo, su-
blevó al pueblo y, con la ayuda de Bruto, derrocó la monar-
quía (Roma, 510 antes de J.C.).

MENDO

(Disimular es cordura.) *(Aparte.)*   2190

GARCÍA

¡Oh malograda hermosura!
¡Oh poderosa porfía!

BLANCA

¡Grande fue la dicha mía!

GARCÍA

  ¡Mi desdicha fue mayor!

BLANCA

Albricias pido a mi amor.   2195

GARCÍA

Venganza pido a los Cielos,
pues en mis penas y celos
no halla remedio el honor;
  mas este remedio tiene:
vamos, Blanca, al Castañar.   2200

MENDO

En mi poder ha de estar
mientras otra cosa ordene,
que me han dicho que conviene
  a la quietud de los dos
el guardarla.

GARCÍA

          Guárdeos Dios   2205
por la merced que la hacéis;
mas no es justo vos guardéis
lo que he de guardar de vos;

que no es razón natural,
ni se ha visto ni se ha usado,   2210
que guarde el lobo al ganado
ni guarde el oso al panal.
Antes, señor, por mi mal
   será, si a Blanca no os quito,
siendo de vuestro apetito,   2215
oso ciego, voraz lobo,
o convidar con el robo
o rogar con el delito.

BLANCA

Dadme licencia, señor.

MENDO

Estás, Blanca, por mi cuenta,   2220
y no has de irte.

GARCÍA

      Esta afrenta
no os la merece mi amor.

MENDO

Esto ha de ser.

GARCÍA

      Es rigor
que de injusticia procede.

MENDO

(Para que en Palacio quede *(Aparte.)*   2225
a la Reina he de acudir.)
De aquí no habéis de salir;
ved que lo manda quien puede.

GARCÍA

   Denme los Cielos paciencia,
pues ya me falta el valor,   2230

porque acudiendo a mi honor
me resisto a la obediencia.
¿Quién vio tan dura inclemencia?
    Volved a ser homicida;
mas del cuerpo dividida   2235
el alma, siempre inmortales
serán mis penas, que hay males
que no acaban con la vida

BLANCA

    García, guárdete el Cielo;
fénix, vive eternamente   2240
y muera yo, que inocente
doy la causa a tu desvelo;
que llevaré por consuelo,
    pues de tu gusto procede,
mi muerte; tú vive y quede   2245
viva en tu pecho al partirme.

GARCÍA

¿Qué, en efeto, no he de irme?
No, que lo manda quien puede.

BLANCA

    Vuelve, si tu enojo es
porque, rompiendo tus lazos,   2250
la vida no di a tus brazos;
ya te la ofrezco a tus pies.
Ya sé quién eres, y pues
    tu honra está asegurada
con mi muerte, en tu alentada   2255
mano blasone tu acero,
que aseguró a un caballero
y mató a una desdichada;

2248 Siempre el mismo respeto a las órdenes del rey ya que García
    sigue equivocado.
2256 Exprésase Blanca como la esposa noble de un Grande de Es-
    paña. Llega a la misma solución que García: que desaparezca
    la causa para evitar las consecuencias.

que quiero me des la muerte
como lo ruego a tu mano,   2260
que, si te temí tirano,
ya te solicito fuerte;
anoche temí perderte
    y agora llego a sentir
tu pena; no has de vivir   2265
sin honor, y pues yo muero
porque vivas, sólo quiero
que me agradezcas morir.

GARCÍA

    Bien sé que inocente estás,
y en vano a mi honor previenes,   2270
sin la culpa que no tienes,
la disculpa que me das...
Tu muerte sentiré más,
    yo sin honra y tú sin culpa;
que mueras el amor culpa,   2275
que vivas siente el honor,
y en vano me culpa amor
cuando el honor me disculpa.
    Aquí admiro la razón,
temo allí la majestad;   2280
matarte será crueldad;
vengarme será traición;
que tales mis males son,
    y mis desdichas son tales,
que unas a otras iguales,   2285
de tal suerte se suceden,
que solo impedir se [pueden]
las desdichas con los males.
    Y sin que me falte alguno,
los hallo por varios modos,   2290
con el sentimiento a todos,

2285 Otro encuentro con el Góngora de *Polifemo y Galatea*: "... que
iguales // en número a mis bienes son mis males".

con el remedio a ninguno;
en lance tan importuno
  consejo te he de pedir,
Blanca; mas si has de morir,   2295
¿qué remedio me has de dar,
si lo que he de remediar
es lo que llego a sentir?

BLANCA

  Si he de morir, mi García,
no me trates desa suerte,   2300
que la dilatada muerte
especie es de tiranía.

GARCÍA

¡Ay, querida esposa mía,
  qué dos contrarios extremos!

BLANCA

Vamos, esposo.

GARCÍA

                Esperemos   2305
a quien nos pudo mandar
no volver al Castañar.
Aparta y disimulemos...

Salen el Rey, la Reina, el Conde y Don Mendo,
y los que pudieren.

REY

  ¿Blanca en Palacio y García?
Tan contento de ello estoy,   2310

2302 Como ya lo hemos visto, *especie de tiranía* significa tiranía
conocida, clasificada; una clase conocida de tiranía (cf. Celestina: "es especie de herejía"). Nota al verso 318, Jornada
1.ª de esta edición.

que estimaré tengan hoy
de vuestra mano y la mía
   lo que merecen.

                    MENDO

                    No es bueno
quien, por respetos, señor,
no satisface su honor   2315
para encargarle el ajeno.
   Créame, que se confía
de mí Vuestra Majestad.

                    REY

(Ésta es poca voluntad.) *(Aparte.)*
Mas allí Blanca y García   2320
   están. Llegad, porque quiero
mi amor conozcáis los dos.

                    GARCÍA

Caballero, guárdeos Dios.
Dejadnos besar primero
   de Su Majestad los pies.   2325

                    MENDO

Aquél es el Rey, García.

                    GARCÍA

(¡Honra desdichada mía! *(Aparte.)*
¿Qué engaño es éste que ves?)
   A los dos, Su Majestad...
besar la mano, señor...   2330
   pues merece este favor...
que bien podéis...

2319 *Voluntad* es amor, afición, simpatía. Como siempre, don Mendo
interpretó con desprecio la paciencia de García.

REY

Apartad,
quitad la mano; el color
habéis del rostro perdido.

GARCÍA

(No le trae el bien nacido *(Aparte.)*   2335
cuando ha perdido el honor.)
    Escuchad aquí un secreto;
sois sol, y como me postro
a vuestros rayos, mi rostro
descubrió claro el efeto.   2340

REY

¿Estáis agraviado?

GARCÍA

Y ve
mi ofensor, porque me asombre.

REY

¿Quién es?

GARCÍA

Ignoro su nombre.

REY

Señaládmele.

GARCÍA

Si haré.

Aparte a Don Mendo.

(Aquí fuera hablaros quiero   2345
para un negocio importante,
que el Rey no ha de estar delante.

MENDO

En la antecámara espero.)

Vase.

GARCÍA

¡Valor, corazón, valor!

REY

¿Adónde, García, vais?   2350

GARCÍA

A cumplir lo que mandáis,
pues no sois vos mi ofensor.

Vase.

REY

  Triste de su agravio estoy;
ver a quién señala quiero.

GARCÍA

(Dentro.) ¡Éste es honor, caballero!   2355

REY

¡Ten, villano!

MENDO

¡Muerto soy!

Sale envainando el puñal ensangrentado.

GARCÍA

  No soy quien piensas, Alfonso;
no soy villano, ni injurio

2355 "El ofensor es implícitamente un enemigo declarado, al que
no hay que retar, y a un enemigo así, se le podía matar por
sorpresa" (R. Menéndez Pidal, ver Introducción, p. 52).

sin razón la inmunidad
de tus palacios augustos.   2360
Debajo de aqueste traje
generosa sangre encubro,
que no sé más de los montes
que el desengaño y el uso.
Don Fernando el Emplazado   2365
fue tu padre, que difunto
no menos que ardiente joven
asombrado dejó el mundo,
y a ti de un año, en sazón
que campaba el moro adusto,   2370
y comenzaba a fundar
en Asia su imperio el turco.
Eran en Castilla entonces
poderosos, como muchos,
los Laras, y de los Cerdas   2375
cierto el derecho, entre algunos,
a tu corona, si bien
Rey te juraron los tuyos,
lealtad que en los castellanos
solamente caber pudo.   2380
Mormuraban en la corte
que el conde Garci Bermudo,
que de la paz y la guerra
era señor absoluto,

2359 "Así por los sacros cánones, como por las leyes regias están
vedados los duelos" (Covarr.). Sabemos también que según
las Partidas de Alfonso X el Sabio se sentenciaba a muerte
al que cometiera crimen o violencia ante el Rey. (cf. nota al
verso 1664, Jornada 2.ª).

2365 Ver nota al verso 226, Jornada 1.ª.

2375 El fundador de la casa de Lara fue Fernán González, conde
de Castilla y de Lara, que, hacia la mitad del siglo X, consiguió la independencia del soberano leonés e inició un gobierno bastante autónomo. Su hermano Gonzalo Busto fue
padre de los siete infantes de Lara. Hallándose Gonzalo pri-
sionero en Córdoba, los infantes intentaron libertarle, pero
—según la tradición— murieron en una emboscada de moros,
favorecida por su tío Ruy Velásquez, quien quería vengar una
ofensa hecha a su esposa. A la casa de Lara pertenecía también Don Diego Ordóñez, retador de Zamora después de la
muerte del rey Don Sancho (1072).

por tu poca edad y hacer   2385
reparo a tantos tumultos,
conspiraba a que eligiesen
de tu sangre Rey adulto,
y a don Sancho de la Cerda
quieren decir que propuso,   2390
si con mentira o verdad
ni le defiendo ni arguyo;
mas los del gobierno, antes
que fuese en el fin Danubio
lo que era apenas arroyo,   2395
o fuese rayo futuro
la que era apenas centella,
la vara tronco robusto,
preso restaron al Conde
en el Alcázar de Burgos.   2400
Don Sancho, con una hija
de dos años, huyó oculto,
que no fio su inocencia
del juicio de tus tribunos;
con la presteza, quedó   2405
desvanecido el obscuro
nublado que a tu corona
amenazaba confuso.
Su esposa, que estaba cerca,
vino a la ciudad, y trujo   2410
consigo un hijo que entraba
en los términos de un lustro;
pidió de noche a las guardas
licencia de verle, y pudo
alcanzarla, si no el llanto,   2415
el poder de mil escudos.
"No vengo —le dijo—, esposo,
cuando te espera un verdugo,
a afligirte, sino a dar
a tus desdichas refugio
y libertad." Y sacó   2420

2399 Es arrestar, prender.

unas limas de entre el rubio
cabello con que limar
de sus pies los hierros duros;
y ya libre, le entregó   2425
las riquezas que redujo
su poder, y con su manto
de suerte al Conde compuso,
que entre las guardas salió
desconocido y seguro   2430
con su hijo; y entre tanto
que fatigaba los brutos
andaluces, en su cama
sustituía otro bulto.
Manifestóse el engaño   2435
otro día, y presa estuvo,
hasta que en hombros salió
de la prisión al sepulcro.
En los montes de Toledo
para el Conde entre desnudos   2440
peñascos, y de una cueva
vivía el centro profundo,
hurtado a la diligencia
de los que en distintos rumbos
le buscaron; que trocados   2445
en abarcas los coturnos,
la seda en pieles, un día
que se vio en el cristal puro
de un arroyo, que de un risco
era precipicio inundo,   2450
hombre mentido con pieles,

2436 Aquí, con el sentido de "a la mañana siguiente; al día siguiente".
2450 Inundado.
2451 Participio pasado de mentir: falso, disfrazado, falsificado o
engañoso. Góngora llama al toro (Júpiter disfrazado) "robador mentido" como, por ejemplo, en un soneto "Al marqués
de Velada, herido de un toro que mató luego a cuchilladas"
(1623): "Con razón, gloria excelsa de Velada, // te admira
Europa, y tanto, que celoso // su robador *mentido* pisa el
coso, // ...".

la barba y cabello infurto,
y, pendientes de los hombros,
en dos aristas diez juncos;
viendo su retrato en él,   2455
sucedido de hombre en bruto,
se buscaba en el cristal
y no hallaba su trasunto;
de cuyas campañas, antes
que a las flores los coluros   2460
del sol en el lienzo vario
diesen el postrer dibujo,
llevaba por alimento
fruta tosca en ramo inculto,
agua clara en fresca piel,   2465
dulce leche en vasos rudos;
y a la escasa luz que entraba
por la boca de aquel mustio
bostezo que dio la tierra

2452 Participio pasado irregular de infurtir o enfurtir que tiene dos
sentidos según el *D.R.A.*: 1) Dar con el batán a los paños y
otros tejidos de la lana el cuerpo correspondiente. 2) Apel-
mazar el pelo o sea "apretar alguna cosa con las palmas de
las manos" (Covarr.).

2454 Para protegerse contra la lluvia se utilizaba hace poco en Castilla rústica capa de juncos.

2456 *El bruto*, aquí, es el animal irracional; en el verso 2432 los
brutos andaluces eran los caballos. (El *noble bruto* se llamaba
al brioso potro.)

2458 "Copia o traslado que se saca del original. Figura o repre-
sentación que imita con propiedad una cosa" (*D.R.A.*).

2459 Los versos anteriores "En los montes de Toledo // para el
Conde entre desnudos // peñascos... (v. 2439-2440) no permi-
ten el sentido: "campo llano sin montes ni aspereza". Queda
el segundo: "conjunto de actos o esfuerzos de índole diversa
que se aplican a conseguir un fin determinado" (*D.R.A.*) Ver,
sin embargo, el verso 2571 y la nota al verso 2571.

2460 Cada uno de los dos círculos máximos de la esfera celeste, los
cuales pasan por los polos del mundo y cortan a la Eclíptica,
el uno en los puntos equinocciales, y se llama coluro de los
equinoccios, y el otro en los solsticiales, y se llama coluro de
los solsticios. (*D.R.A.*).

2469 Se parece mucho a la cueva de Polifemo: "Deste, pues, for-
midable de la tierra // bostezo el melancólico vacío, // a Polifemo, horror de aquella sierra, // bárbara choza es..." (Góngora, *Polifemo y Galatea*). Inútil recordar que *mustio* es
melancólico.

después del común diluvio,   2470
al hijo las buenas letras
le enseñó, y era sin uso
ojos despiertos sin luz
y una fiera con estudio.
Pasó joven de los libros   2475
al valle, y al colmilludo
jabalí opuesto a su cueva,
volvía en su humor purpúreo.
Tenía el anciano padre
el rostro lleno de sulcos   2480
cuando le llamó la muerte,
débil, pero no caduco;
y al joven le dijo: "Orgaz
yace cerca, importa mucho
vayas y digas al Conde   2485
que a aqueste albergue noturno
con un religioso venga,
que un deudo y amigo suyo
le llama para morir".
Habló al Conde, y él dispuso   2490
su viaje sin pedir
cartas de creencia al nuncio.
Llegan a la cueva, y hallan
débiles los flacos pulsos
del Conde, que al huésped dijo,   2495
viendo le observaba mudo:
Ves aquí, Conde de Orgaz,
un rayo disuelto en humo,
una estatua vuelta en polvos,
un abatido Nabuco;   2500
éste es mi hijo". Y entonces

2480 *Sulco* sería hoy surco. Después *noturno* en vez de nocturno.
     Cuatro versos antes (2476) en vez de "valle", *B.A.E.* da *"valor"*.
2499 Acude a la memoria el magnífico verso último de un celebé-
     rrimo soneto gongorino: "... en tierra, en *humo*, en *polvo*, en
     sombra, en nada".
2500 Se trata de Nabucodonosor II, rey de Babilonia, apodado El
     Grande (rey de 605 a 562 a. de J.C.). Destruyó el reino de
     Judá y su capital Jerusalén en 587. Las ruinas encontradas en
     Babilonia pertenecen casi todas a su época.

sobre mi cabeza puso
su débil mano. "Yo soy
el conde Garci Bermudo;
en ti y estas joyas tenga   2505
contra los hados recurso
este hijo, de quien padre
piadoso te sostituyo."
Y en brazos de un religioso,
pálido y los ojos turbios,   2510
del cuerpo y alma la muerte
desató el estrecho nudo.
Llevámosle al Castañar
de noche, porque sus lutos
nos prestase y de los cielos   2515
fuesen hachas los carbunclos,
adonde con mis riquezas
tierras compro y casas fundo;
y con Blanca me casé,
como a Amor y al Conde plugo.   2520
Vivía sin envidiar,
entre el arado y el yugo,
las cortes, y de tus iras
encubierto me aseguro;
hasta que anoche en mi casa   2525
vi aqueste huésped perjuro,
que en Blanca, atrevidamente,
los ojos lascivos puso;
y pensando que eras tú,
por cierto engaño que hubo,   2530
le respeté, corrigiendo
con la lealtad lo iracundo;
hago alarde de mi sangre;
venzo al temor, con quien lucho;
pídeme el honor venganza,   2535

2516 Hoy sería *carbúnculo*. Imagen frecuente en la época porque
se creía que era "una piedra preciosa que tomó nombre del
carbón encendido, por tener color de fuego y echar de sí llamas y resplandor, que sin otra alguna luz se puede con ella
leer de noche una carta y aun dar claridad a un aposento"
(Covarr.). Son las antorchas diamantinas de las estrellas.

el puñal luciente empuño,
su corazón atravieso;
mírale muerto, que juzgo
me tuvieras por infame
si a quien deste agravio acuso   2540
le señalara a tus ojos
menos, señor, que difunto.
Aunque sea hijo del sol,
aunque de tus grandes uno,
aunque el primero en tu gracia,   2545
aunque en tu imperio el segundo;
que esto soy, y éste es mi agravio,
éste el confesor injusto,
éste el brazo que le ha muerto,
éste divida un verdugo;   2550
pero en tanto que mi cuello
esté en mis hombros robusto,
no he de permitir me agravie,
del Rey abajo, ninguno.

REINA

¿Qué decís?

REY

¡Confuso estoy!   2555

BLANCA

¿Qué importa la vida pierda?
De don Sancho de la Cerda
la hija infelice soy;
si mi esposo ha de morir,
mueran juntas dos mitades.   2560

REY

¿Qué es esto, Conde?

CONDE

Verdades
que es forzoso descubrir.

REINA

Obligada a su perdón
estoy.

REY

Mis brazos tomad;
los vuestros, Blanca, me dad;   2565
y de vos, Conde, la acción
presente he de confiar.

GARCÍA

Pues toque el parche sonoro,
que rayo soy contra el moro
que fulminó el Castañar.   2570
Y verán en sus campañas
correr mares de carmín,
dando con aquesto fin,
y principio a mis hazañas.

FIN

2571 "Desde el tiempo de los moros fue (Algezira) una principa-
lísima ciudad y su *campaña* muy fértil y los montes que la
cercan hermosos y apazibles" (Covarr.). En *B.A.E.*, en vez de
"toque" (verso 2568) hay "truene", y "verás" en vez de "verán"
(v. 2571).

ÍNDICE DE LÁMINAS

Se terminó de imprimir en los
Talleres de Unigraf, S. A., el día
14 de febrero de 1978

TÍTULOS PUBLICADOS